電子文件自動處理之研究

陳光華　著

臺灣　學 生 書 局　印行

序

從小的確是立志作老師，但是沒有想過也可以寫書。寫書的經驗是痛苦的，不知道那些多產的作家是如何辦到的；完稿的時刻是美好的，大概這就是作家們追求的。據說每一本書都有個「序」，只好不可免俗地作序一番。只希望本書最後還有個墊高的功用。

誌謝

寫書的過程真是寒天飲冰水，點滴在心頭。雖然我還沒有當父親的經驗，卻也充分體驗老師的付出，對於父母的謝意，自不必行之於文字；但衷心感謝教育我的師長，感謝陳信希教授、王如意教授、林一鵬教授、黃宣範教授。同儕的討論也增長我的見識，感謝陳雪華教授、陳昭珍教授。我的學生江玉婷、莊雅蓁真得是很棒，協助我處理大大小小的事務，感謝她們。當然，還有背後默默支持的人，也不是誌謝就可以表達心意的。

目次

表目次

圖目次

第一章　緒　論

人類文明已經超過六千年，但從來沒有像 20 世紀這樣進展地如此快速，可以預見的是，文明會以更快的速度往前邁進，創造更令人讚嘆的世紀。在人類文明史上重要的前二個革命：印刷術革命以及工業革命，使得恭逢其時的國家或是願意改革的國家，紛紛成爲史上的強權，引領風騷數百年。如今更重要的資訊革命正方興未艾，我國的資訊工業總產值已經躍居世界第三位，如何掌握此一重要契機，提升國家的競爭力，實在是政府目前所應積極努力的一項重要課題。學術研究人員也應在資訊革命的發展過展中，貢獻一己之力量，本書將從電子文件逐漸成爲資訊傳遞形式的時空背景下，探討如何以自動化的程序，有效地進行資訊的處理，以促進資訊的生產與消費。

第一節　背景

網際網路作爲資訊交換的管道，由來已久，早期係屬專業人士使用的傳輸媒介，傳送具有價值與高品質的資訊。今日則由於商業體系的介入，引發「網路是否應爲國家公營的資訊管道」的論戰（註 1），促使網際網路的使用群逐漸擴展至普羅大眾。此外，加上全球資訊網（World Wide Web，簡稱 WWW）興起的推波助瀾，簡單易用的圖形化使用介面，使得不分老幼均能輕易地連上網際網路，全民上網的目標，指日可待。現在，無論政府部門、公益組織、營利事業團體或個人，都相當積極地將資訊送入網際網路，因而使資訊累積的速度越來越快。藉著 WWW 的協助，圖書資源的傳播，經由標準的電腦使用介面，不但可以看到全文影像，亦可生動地將圖形、動畫、聲音呈現在電腦螢幕上。在可預見的未來，知識儲存的媒體將會逐漸轉換成數位化的電子媒體，而其重要性也將與日俱增。若以資訊傳播的角度觀察吾人所處的世界，它正快速的縮小。以台北到高雄爲例，實際距離爲 350km，如果傳送 500MB 的資料，表 1-1 計算以各種不同方式傳遞訊息時，所需花費的時間。若以 100Mbps 的電腦網路傳遞前述的資料，比以汽車進行郵件快遞，快了將近 580 倍。如果是從台北傳遞資料到洛杉磯，則更能讓我們體驗到天涯若比鄰的感受，所謂的「地球村」也成爲十分具體的事實，而非遙不可及的夢想。

表 1-1：資訊傳播的方式與所需時間

傳播方式	傳播時間
步行（5 km/h）	70 hrs
汽車（60 km/h）	5.8 hrs
飛機（270 m/s）	0.36 hrs
電腦網路（100 Mbps）	0.01 hrs

正由於網際網路的發展如此地驚人，各國的研究人員紛紛嘗試研發各項適用於網際網路的應用，其中最主要且最受重視的應用首推電子圖書館。1998年亞太經合會（APEC）科技部長會議，便廣泛討論電子圖書館的發展，並剖析其對國家競爭力的重大影響。

然而，目前電子圖書館的專有名詞並沒有統一，Lancaster在1978年出版的「邁向無紙資訊系統」（Toward Paperless Information Systems），認爲未來圖書館可能以電子媒體爲主要館藏，而形成所謂「電子圖書館」的概念。「虛擬圖書館」是網路資訊聯盟（The Coalition for Networked Information）於1990年提出的，期盼藉由現有的網路環境與籌設中的網路建設，促進資訊的散佈與共享。「數位圖書館」則是美國副總統高爾在參議員任內提出「資訊基礎建設與科技法案」，首次出現的名詞。（註2）其定義也沒有普遍的共識，仍處於各自表述的階段。美國國家科學基金會在其研究報告中也並不試圖對電子圖書館下一明確的定義，而以功能面闡述電子圖書館：「電子圖書館是以經濟的方式取得掌控異質化、分散式、大量數位資料與新型態資訊的具體能力，以友善的方式進行資訊的儲存、搜尋、處理、以及檢索」。（註3）相關研究的取向其實是相當多元的，至少可由三個角度來看待：第一是圖書館學界；第二是電腦科學界；第三則是網際網路研究人員。實體圖書館的存在已有很長的一段時間，也發展出相當多的學理，以有效提供圖書資訊予讀者，因此，圖書館學界自然會以擴展本身服務的角度，思考如何運用網際網路這種新的資訊管道。電腦科學界則以資訊系統的觀點看待網際網路延伸的電子圖書館，思考如何有效地檢索資訊。另一方面，網際網路的研究人員則單純地認爲若將網際網路視爲資訊儲存的媒體，上網的使用者便能夠取得資料，很自然地形成「虛擬圖書館」。

在電子圖書館的大框架之下，有著爲數眾多的研究課題，以下是筆者認爲相當重要的項目：

- 資源的蒐集
- 資源的組織分類
- 使用者行爲研究
- 資源的分享
- 資訊與社會

資源的蒐集，指的是如何取得適當的數位館藏，無論是將現有紙本資料數位化，或是採訪電子出版品。資訊的組織與分類，指的是有效地組織並分類蒐集所得的資訊，主要的問題是如何使用適當的詮釋資料（Metadata），或是制定合用的詮釋資料，進行資訊資源的描述。使用者行爲研究，主要指的是如何有效蒐集使用者的行爲資訊、如何分析蒐集的資料、評估使用者需求的新方法及建立人機互動的新典範。資源的分享則必須注意網路系統、通訊協定與資訊檢索等議題。資訊與社會層次的議題，指的是電子圖書館的設計、政策與實施，應更切實反映所處社會的情境脈絡。

第二節 研究假設與範圍

筆者身處網際網路的蓬勃發展以及電子圖書館的時空環境下，將於本書探討如何進行文件自動化的處理，而這樣的探討係基於下列幾項假設：

1. 電子文件累積的速率越來越快

   由於電子文件累積的速率越來越快，無可避免地必須採用自動化的技術，否則正如夸父追日一般，永遠無法有效處理不斷衍生的資訊。

2. 電腦硬體的效能越來越高

   如果電腦硬體的效能無法繼續提升，則本書所提出的處理技術或許將無法真正地使用於網際網路的實際應用程式中，畢竟，網路的使用者最在意的一件事就是時間。

3. 人類對於資訊服務的要求越來越高

   如果目前的使用者已經滿足於搜尋引擎與主題指引的服務，本書便無須提出文件各高層次的處理模式，因爲使用者的需要才是真正應該考慮的因素。

4. 電腦網路的頻寬越來越高

   頻寬將是未來各種網際網路研究的基礎建設，足夠的頻寬才能容納更具創意的研究，使用者也才能真正受惠。

由於多媒體資訊逐漸地盛行，文件不再是傳統上所謂的「文字型文件」，而包括了文字、聲音、圖形、影像等不同型態的資料，因此文件的自動化處理技術便包含相當廣泛的範圍，本書將著重於「文字型文件」的自動化處理技術，而不涉及其他型態資料的自動化處理，如影像處理技術或是數位訊號處理技術。而就電子圖書館的眾多研究議題而言，本書討論的範圍侷限於資源的組織分類與資源的分享二個主要的範疇，主要探討的議題如下所示：

1. 資訊的組織分類（Information Organization and Classification）
2. 詮釋資料與資訊擷取（Metadata and Information Extraction）
3. 文件主題之辨識（Subject Identification）
4. 文件之語言剖析（Sentence Parsing）
5. 文件摘要之產生（Document Summarization）
6. 資訊檢索之藩籬（Barriers of Information Retrieval）

第三節 自動處理與半自動處理

傳統上，圖書館與資訊加值機構，多半是以高素質的館員或索摘人員進行分類編目以及索引摘要的工作。經過良好訓練且具有圖書館學專業知識的人員，自然能夠做好上述的工作。但是，採用人工進行文件的加值處理，則會面臨下列的情況：

1. 人類有基本的工作時限。
2. 人類對重複性的工作，會產生疲乏。
3. 人類會有情緒上的問題。
4. 使用人力所需的費用極高。

這些現象並非是問題，而是反映人類存在的事實與價值。然而，面對網際網路深入一般人生活的世代，大量電子資訊不斷地產生、累積以及傳播，純粹依靠人力已經無法有效地過濾資訊，更遑論進行資訊的加值，引用自動或是半自動的程序或許是無法避免且必須採用的作法。要注意的是，引進（半）自動程序並非代表一定會產生高品質的加值資訊，而僅是代表能夠快速地產生加值資訊。事實上，人力依然應扮演重要的角色，例如如何整合機器與人力於資訊的加值處理，確定各自扮演的角色，仍是圖書館與資訊加值機構必須面對的重要課題，本書不擬對此問題有所著墨，而著重於強調自動或半自動化資訊加值處理的必要性。

本書將於爾後各章節逐步探討文字型電子文件之自動處理。第二章說明資訊檢索系統通常僅是告訴使用者有哪些相關的文件，而非提供使用者所真正需要的資訊。然而資訊擷取的研究則是進一步分析文件，依據預先定義的樣版取出特定的資訊。該章進一步說明詮釋資料與資訊擷取的關係，並討論如何藉由自然語言處理的語言分析技術，有效協助使用者擷取所需要的資訊。

第三章說明透過詮釋資料進行檢索的方式，可以適用於各種型態的資訊，所以吾人可以稱之爲資訊檢索核心技術。該章並探討三種不同層次的詮釋資料：靜態權威詮釋資料、動態權威詮釋資料、個人化詮釋資料，及其可能的應用方式。

第四章說明文件的組織是具有結構性的，是事件驅動（Event-Driven）的，而事件則是由名詞與動詞共同完成的，名詞與動詞在決定文獻主題的過程中具有重要地位。本章考慮文獻的一般行爲，提出四項因素：1) 詞彙的重要性，2) 詞彙的重複性，3) 詞彙的共現性，4) 詞彙的距離，並建構一個數學模型並進行讀者與模型的比較實驗。實驗結果顯示該模型的自動主題辨識與人工主題辨識具有相當的效能。

第五章說明最自然的查詢方式是使用自然語言查詢所需要的資訊，尤其當語音輸入技術達到某種實用階段時，自然語言查詢的需求，將益形重要。隨後該章提出一種自然語言剖析的技術，可以快速並且穩定地剖析自然語言，分析各詞彙的關係與彼此的角色，而建構這種剖析技術所需的資源僅僅是具有詞類標記的語料庫。在分析大規模的實驗結果之後，根據Crossing準則及PARSEVAL準則，進行剖析效能的評估。

第六章說明在邁向新資訊時代的關鍵時刻，必須提供使用者更好的資訊服務，才能由浩瀚的電子文件中取得適切的資訊。本章將探討提供使用者適切資訊的服務策略，並將重點放在文件的自動摘要，於資訊檢索應用加上文件摘要的服務，讓使用者輕易地判斷文件的相關性，將是提高檢索效率的重要方法。

第七章說明資訊檢索研究的目的在解決人類對於資訊的需求，而其發展至今，也已經不斷地消除一道又一道的資訊藩籬。該章說明資訊檢索的語言藩籬，討論目前語言技術用於處理語言藩籬的可能方案，並且比較現有跨語資訊檢索系統與傳統資訊檢索系統之間的系統績效。

第四節 名詞解釋

鑑於本書探討之電子文件相關主題，多為新興發展之研究領域，其專有名詞常無統一。為幫助讀者順利明確瞭解本書意旨，謹將主要名詞用法說明如次，以供參照。

1. 電子文件（Electronic Document）泛指一切以數位形式存在的資料，包括純文字（Text）、音訊（Audio）、影像（Image）、視訊（Video）。但本書使用「電子文件」一詞時，主要指的是純文字文件或稱文字型文件。
2. 詮釋資料（Metadata）為用以描述其他資料的資料。詮釋資料亦有可能用以描述其他詮釋資料，但筆者將不使用詮釋詮釋資料（Meta-Metadata）的說法，除非特意強調其間的層級關係。
3. 資訊檢索（Information Retrieval）泛指從某種資訊集合體（Collection of

Information）中取出所需的資訊。但是以目前該詞彙的使用情形而言，實際上指的是「文件檢索」。

4. 資訊擷取（Information Extraction）則是將使用者的資訊需求以預先定義的樣版表現，從資訊集合體中直接擷取所需的資訊。
5. 文件摘要（Document Summarization）泛指以人工、半自動、或全自動的方式，製作原始文件的簡短版本，並保留文件的重要內容。
6. 資訊藩籬（Information Barrier）泛指阻擾資訊有效傳遞的障礙，如時間、空間、語言、文化。本書提出該詞彙，說明當時間、空間的藩籬已被資訊科技克服後，目前面臨的是語言文化的藩籬。
7. 網路頻寬（Network Bandwidth）指網路每秒傳輸的位元數，使用的單位通常爲每秒百萬位元數（Megabit per Second，Mbps）。網路頻寬爲網際網路應用最重要的基礎建設，頻寬的不足將造成許多應用無法實際施行。

註釋

註1： Krol, Ed and Klopfenstein, Bruce. The Whole Internet, O'Reilly and Associates, 1996, pp. 21-22.

註2： 陳光華，陳雪華。「『電子圖書館』支援課程之探討」。台灣大學圖書館學刊第十二期（民國86年12月），頁93-126。

註3： Research on Digital Libraries: Joint Initiative of the National Science Foundation (NSF), the Advanced Research Projects Agency (ARPA), and the National Aeronautics and Space Administration (NASA), Request for Proposals, 1992.

第二章　資訊的組織與擷取

網際網路的發展使得資訊檢索的研究進入更具挑戰性的環境，一般資訊檢索系統通常僅告訴使用者有哪些相關的文件，而非提供使用者所真正需要的資訊。而資訊擷取的研究則是進一步分析文件，依據預先定義的樣版取出特定的資訊。參照於圖書館以機讀編目格式描述館藏，資訊擷取系統所稱的樣版與機讀編目格式都可視爲一種詮釋資料格式，亦即是用於描述資料的資料。本章說明詮釋資料與資訊擷取的關係，並討論如何藉由自然語言處理的語言分析技術有效協助使用者擷取所需要的資訊。

第一節　序論

知識與資訊一直是人類進步所賴以爲繼的動力，一旦吾人停止對於知識的渴望，個人的發展便停滯不前；若所有人類停止對於資訊的追求，人類文明的演進也將因此而中斷。資訊的生產消費過程中，有些人是屬於上游的生產者，有些人是屬於中游的生產者與消費者，有些人是屬於下游的消費者。在網際網路風起雲湧的時代，資訊生產與消費的行爲有了極大的改變，幾乎所有人都可以扮演生產者與消費者的角色。一般人也可以生產資訊，透過網際網路將之散佈，供眾人消費、取用，資訊的通路成為一條康莊大道，不再受制於少數的資訊托拉斯。因此，網路上的電子文件是多如牛毛，以往資訊消費者是不容易取得資訊，而現在卻要面臨資訊氾濫的現象，人們被資訊所淹沒，不知道什麼才是真正需要的資訊。如何才能有效協助讀者或使用者取得資訊呢？圖書館存在的歷史已有五千年（註 1），在如此悠久的歷史中，或許有很多經驗與方法可以提供吾人參考與借鏡的。

圖書館長久以來一直扮演知識庫的角色，以美國國會圖書館為例，其館藏量已達九千萬件（註 2），我國國家圖書館館藏量為一百四十八萬餘件（註 3），而臺灣大學圖書館館藏量則已超越一百九十六萬餘件（註 4）。圖書館如何協助讀者從如此巨量的館藏中選擇需要的、適切的資料呢？一般而言，圖書館典藏的圖書資訊都經過某種層次的組織與整理，藉此，各類館藏呈現某種特定的有序狀態，使得讀者能夠有效定位（Locate）圖書資訊的所在。前述的組織與整理正展示於圖書館學發展過程中幾個重要的里程碑，如杜威分類法（DDC）、美國國會分類法（LLC）、美國國會標題表（LCSH）、中文圖書標題表、機讀編目格式（Machine Readable Catalog，簡稱 MARC）、英美編目規則（AACR2），以及衍生的中國機讀編目格式（Chinese MARC）、中國編目規則等。不同的分類法、標題表以相異的切入角度描述圖書資訊的主題編目（Subject Catalog）；編目規則規範如何進行圖書資訊的記述編目（Descriptive Catalog）；而 MARC 則記錄著主題編目與記述編目的資料。網際網路使得實體圖書館發展出虛擬圖書館的分身，館藏也由紙本資料走向電子資料，資訊型態的不同以及大量資訊的累積造成取用的方式亦有所不同，然而如何有效地滿足讀者或使用者資訊的需求卻無二致。

另一方面電腦科學與資訊科學的學者專家也由其學科領域的觀

點，發展出滿足使用者資訊需求的作法，最明顯的例子即是所謂的搜尋引擎（Search Engine）、以及自訂分類架構的主題指引（Subject Directory）。然而更具挑戰性的任務卻是資訊擷取（Information Extraction，簡稱 IE）的研究，以往吾人對於資訊檢索（Information Retrieval，簡稱 IR）的理解是檢索系統送回許許多多系統認爲相關的文件，至於使用者需要的資訊則必須透過閱讀文件才能得知。資訊擷取的研究便是希望由文件中擷取特定的資訊，而不僅僅是檢索出文件而已。

本章以下的部份將介紹詮釋資料（Metadata）、資訊擷取與自然語言處理（Natural Language Processing）之間的關係，並說明語言分析技術如何運用於資訊服務系統，以有效提昇系統的服務品質。第二節討論資訊的加值並解釋何謂詮釋資料；第三節提出資訊檢索與資訊擷取在資訊服務層次的關係，並討論目前資訊擷取系統的服務績效；第四節則說明自然語言處理的相關技術；最後是簡要的結論。

第二節　資訊加值與詮釋資料

圖書館館藏資料都經過一定程度的加值處理，館員依據編目規則、標題表、館方政策等指導原則爲館藏加註詮釋性資料亦即進行編目分類的工作，讓讀者或使用者有效地檢索館藏。以 Dowlin 所著的"The Electronic Library"一書爲例，館員加註的詮釋性資料如圖 2-1 所示。前述的編目分類可以分爲兩種：一爲記述編目；一爲主題編目。圖 2-1 的書名/作者、出版項、稽核項、叢書名、附註項、ISBN/價格等屬於記述編目，主要是記載館藏的實際資料，不必經由編目館員進一步的分析。至於標題與索書號內的分類號則屬於主題編目的範圍，編目館員必須分析藏品的內容，經過思考然後加註適當的標題與分類號。一旦館藏皆加註上述的資料，圖書館的讀者或是使用者便可以透過目錄卡片或 OPAC 線上檢索系統，有效地檢索館藏資料。

書名/作者	The electronic library : the promise and the process / Kenneth E. Dowlin
主要作者	Dowlin, Kenneth E
出版項	New York, N.Y. : Neal-Schuman Publishers, c1984
稽核項	xi, 199 p. : ill. ; 23 cm
叢書名	Applications in information management and technology series
附註	Includes bibliographical references and index
ISBN/價格	0918212758 (pbk.) : $24.95
標題	Libraries -- Automation Information technology
索書號	Z678.9 D68 1984

圖 2-1：館藏的加值處理

事實上，前述的詮釋性資料即是一種詮釋資料（註 5），所謂的詮釋資料也就是用於描述資料的資料（Data about Data）。人類的日常生活中詮釋資料幾乎無所不在。掏起皮夾裡的身份證，吾人可發現其上記載有身份證字號、姓名、出生年月日、父母、出生地、戶籍資料等等，這些資料便是用於描述我們每一個體的詮釋資料，各種不同的政府機關、信用機構則依據不同詮釋資料檢索個人犯罪、納稅、信用等情況。除此之外，學生證、汽機車行照、駕照、信用卡、金融卡、貴賓卡、會員卡等等都是某種形式的詮釋資料格式，用以記載各種不同目的的詮釋資料。因此吾人可以發現，不同的個體（Entity）可能需要不同格式的詮釋資料；在不同的使用需求下，相同的個體也可能需要不同格式的詮釋資料。再以 Dowlin 所著的"The Electronic Library"一書爲例，可以用圖 2-2 描述這本書。圖 2-2 是圖書館使用的機讀編目格式，也可以視爲一種 Metadata 格式。圖 2-1 與圖 2-2 描述相同的館藏，其目的卻有所不同，顯然圖 2-2 的機讀格式並不是給人看的，這也是它被稱爲「機讀」編目格式的原因；而圖 2-1 卻是相當輕易地爲人所理解。

```
001    83021957 //r91
005    19911024125216.4
008    831004s1984   nyua    b   00110 eng  cam a
010    83021957 //r91
020    0918212758 (pbk.) :|c$24.95
040    DLC|cdlc|ddlc
050 00 Z678.9|b.D68 1984
082 00 025/.04|219
090     Z/678.9/D68/1984///1410222AL/1415924CL/1453410CL
       /1733896CF
091    TUL|bal|bcl|bcl|bcf
095    TUL|dz678.9|ed68|y1984|t095|bal|c1410222
095    TUL|dz678.9|ed68|y1984|t095|bcl|c1415924
095    TUL|dz678.9|ed68|y1984|t095|bcf|c1733896
095    TUL|dz678.9|ed68|y1984|t095|bcl|c1453410
099    TUL|d|e|y|f|t091|b|c|x|z
100 10 Dowlin, Kenneth E
245 14 The electronic library :|b the promise and the
        process/|c Kenneth E. Dowlin
260 0  New York, N.Y. :|b Neal-Schuman Publishers,|c c1984
300     xi, 199 p. :|bill. ;|c23 cm
440  0 Applications in information management and
       technology Series
504    Includes bibliographical references and index
650  0 Libraries|xautomation
650  0 Information technology
910     8'93 D#139       MCL
```

圖 2-2：MARC 格式

在網際網路的虛擬世界裡，電子文件繁不勝數，若將網際網路視爲龐大的虛擬圖書館，吾人爲了解決資訊檢索的難題，也就必須發展適當的詮釋資料格式描述繁雜的電子文件，以便讓使用者真正得到網路時代帶來的好處。目前已然運作的詮釋資料格式有美國政府出版品使用的 GILS 詮釋資料格式（註 6），然而基本上 GILS 是政府資源指引系統，其目的是爲了協助人民檢索聯邦政府資源，GILS 詮釋資料格式則是該檢索服務系統所採用的詮釋資料。此外，美國聯邦地理資訊委員會（Federal Geographic Data Committee，簡稱 FGDC）的數位地理詮釋資料標準格式，主要使用於地理資料的交換、查詢及散佈，並透過 Z39.50 協定（屬於 OSI 參考模型的第七層通訊協定）以電腦網路爲作業的環境。（註 7）另外深受眾人期待的都柏林核心集（Dublin Core）則是針對網際網路上眾多的電子文件而設計，提供 15 個核心的詮釋資料欄位，希望能夠有效描述電子文件的特性，使得網際網路的資訊檢索及資訊擷取等服務具備更好的品質。（註 8）

由圖書館（無論是實體圖書館或是虛擬圖書館）經營的角度來看，必須提供讀者或使用者各式各樣的需求，因此用以描述文獻的詮釋資料欄位有許多不同的欄位作爲使用者檢索的檢索點，若是考慮各類型館藏資料有其不同的需求，詮釋資料的格式亦應隨之不同，更不必提使用者看待館藏或是資訊時所採取的個人觀點。所以僅僅爲了如何有效描述資源，必須處理的狀況就已經非常複雜。目前已有一些自動辨識人名、地方名、組織名的系統（註 9），可以協助吾人加註文獻資料的詮釋資料，但是困難的地方，卻是這一類的系統如何適應不同的詮釋資料格式，以及如何配合詮釋資料格式適當地變更加註的詮釋資料。因此，各領域的學者專家也逐漸瞭解詮釋資料的確是解決資訊需求的重要課題，也有越來越多的研究人員投入詮釋資料的研究。

第三節 資訊擷取

資訊擷取是由文件中擷取事先預設所需的資訊；但資訊檢索則是由文件集合中檢索相關的文件。因此，「資訊檢索」這個詞彙事實上誤導了吾人對於相關研究的認識，如果「必也正名乎」，應該使用「文件檢索」代替「資訊檢索」。資訊擷取可視爲比資訊檢索更深一層的資訊服務。正如訊息理解會議（Message Understanding Conference，簡稱MUC）所說的，資訊擷取不僅僅辨識重要的個體，還必須決定個體之間的關係。然而因爲資訊擷取工作的特殊性，所以到底擷取何種資訊應是依資訊服務系統服務的範疇而定。以 MUC 會議歷年的主題爲例，MUC-5 會議處理的文件爲聯合貿易行爲以及微電子產品相關的文件；MUC-6 則是有關管理層級變化的新聞報導。（註 10）

MUC-6 會議訂定的工作項目爲：專有名詞辨識（Name Identification）、照應詞解析(Coreference Resolution)、腳本樣版（Scenario Template））等三項。專有名詞的辨識正如字面上的意思，係擷取文件中的專有名詞；而照應詞的解析是串連專有名詞及其對應的代名詞；腳本樣版則是依照預先訂定的樣版，由文件中擷取相關的資訊填入樣版的欄位。吾人可以將這三項工作視爲是有層級的關係，唯有專有名詞辨識完成，才能夠進行照應詞解析，而後進行腳本樣版的記錄。事實上，前述工作中有兩項（辨識專有名詞、腳本樣版）正如圖書館編目館員進行的分編工作一般，館員首先進行記述編目然後是主題編目，將所得的資料填入詮釋資料格式的欄位（如 MARC），前述的腳本樣版亦即吾人所稱的詮釋資料格式，而所謂的資訊擷取就是此處的第三項工作。腳本樣版是屬性與對應值的集合，而資訊擷取系統便是針對不同的屬性由文件擷取適當的值填入腳本樣版。

目前，各國研究者提出的資訊擷取系統效能（Performance）不一，實作的方法也有其不同之處，表 2-1 摘錄各系統的求準率（Precision）與求全率（Recall）。（註 11）專有名詞的辨識目前取得很好的成果，平均的求全率與求準率都在 90%以上，但照應詞的解析與腳本樣版則仍然是相當的困難。

一套基本的資訊擷取系統是由斷詞模組、語彙分析模組、語法分析模組所組成。當然不同的語言有其特殊的考量，而引進不同的處理模組，例如對印歐語系的文件必須作字形（Morphology）的處理，而不必引入斷詞模組；另外在某些時候又必須引進特定範疇的知識以有效擷取特定的資訊。自然語言處理的相關研究早已發展出許多語言分析的技術，資訊檢索以及資訊擷取研究領域與自然語言研究領域交流方熾，各種的語言分析技術目前也廣泛運用於相關的資訊服務系統，下一節將初步介紹相關的分析技術。

表 2-1：資訊擷取系統的求準率與求全率

工作項目	求全率		求準率	
	平均	最高	平均	最高
專有名詞辨識	90%	96%	90%	97%
照應詞解析	66%	75%	76%	86%
腳本樣版	45%	47%	65%	70%

第四節　自動化技術

吾人已經瞭解純粹使用人工處理急遽成長的電子文件是緩不濟急且不可行的作法。如何使用電腦自動處理電子文件，或是協助吾人處理電子文件，才是因應資訊爆炸時代比較恰當的解決之道。在採取任何自動處理程序之前，首先，必須先瞭解電子文件的特性。一般的電子文件主要是以書面語（Written Language）的形式出現，當然多媒體形式的文件越來越多，其中包含圖片、音訊、視訊，使得電子文件好似千面女郎，更具有吸引讀者的優勢。然而即便是多媒體的文件，其中仍然有很大的部份是文字，雖然有文獻指出「一圖賽千文」，但是文字仍具有圖片所不可取代的說明功能。因之，本章主要說明如何引入自然語言處理的技術協助資訊系統的建構，以及這些技術如何有效提昇資訊系統的服務。

基本的資訊擷取系統可以包含以下幾個部份：文件版面分析模組（Layout Analysis Module）、斷詞模組（Word Segmentation Module）、語彙分析模組（Lexical Analysis Module）、語法分析模組（Syntactic Analysis Module）、語義分析模組（Semantic Analysis Module），其功能分別敘述如下。

一、版面分析模組

文件通常由文字、標題、表格、圖形等等組成，圖 2-3 是學術論文版面構成的一個例子。處理這類文件時，文件版面分析模組必須區分文件的結構區塊，然後串聯文字部份構成書面語，將其交由後續的語言處理模組；表格部份交由表格處理程序；圖形則交由圖形處理程序。由於文件的形式變化很大，期刊論文、會議論文、雜誌、報紙各有不同的形式，文件版面分析模組經常是以知識爲基礎（Knowledge-Based）的自動化程序，隨著不同類型的文件，採用相對應的知識，以適應性系統（Adaptive System）的方式進行文件版面分析的工作。（註12）圖 2-4 說明一個適應性文件分析模組可能具有的次模組。

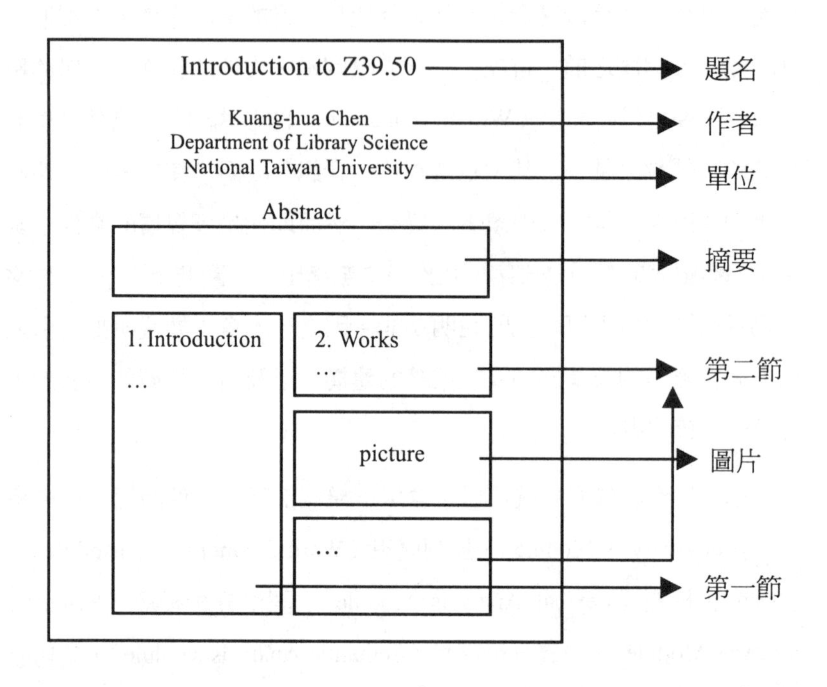

圖 2-3：學術論文版面結構

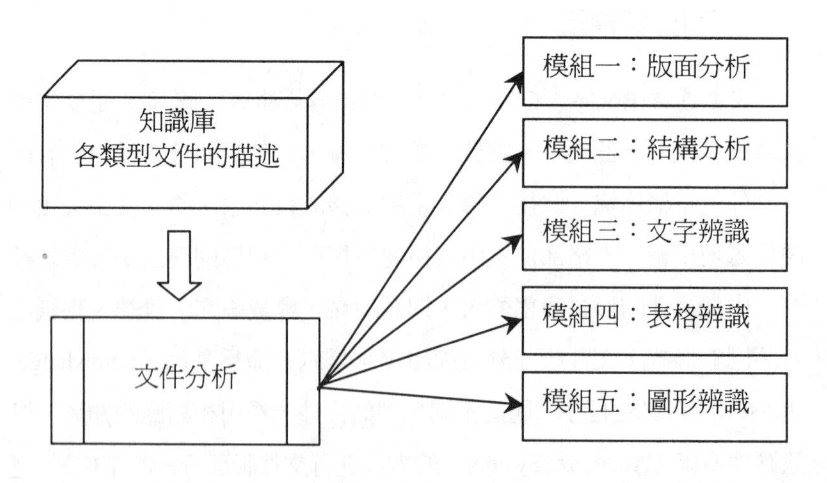

圖 2-4：適應性文件分析

二、斷詞模組

斷詞模組主要用於將中文句子分成一個個詞彙，由於中文沒有詞間標記，斷詞模組便成為任何以詞彙為基礎（Word-Based）的自動化中文處理系統不可或缺的前處理程序。斷詞並不如想像的簡單，舉個例子說明如下：(註 13)

將劉大目的確實行動作了解釋

這個句子包含很多可能的二字詞（Two-Character Words），例如：目的、的確、確實、實行、行動、動作、了解、解釋，但是只有一種斷詞結果是正確的，如下所示。

將◆劉大目◆的◆確實◆行動◆作◆了◆解釋

前述的例子還有一個困難的問題必須處理，亦即如何辨識劉大目是一個人名，而非三個單字詞（One-Character Words）。國內研究自然語言處理的重要機構都已經研發中文斷詞系統，以中央研究院詞庫小組的斷詞系統而言，若不處理人名、地名、機構名，其正確率達 99.77%（註 14）；台灣大學資訊工程學系自然語言處理實驗室則將外文譯名與中文專有名詞（包括人名、機構名等等）的處理結合，也有很高的正確率。（註 15）一般而言，斷詞系統必須使用辭典作為斷詞的依據，而辭典則依斷詞系統的作法而有不同的格式。例如，採用長詞優先的斷詞系統，僅需記載詞彙本身的資訊；而採用統計作法的斷詞系統，則必須記載詞彙頻率，甚至雙連（Bigram）、三連（Trigram）的資訊。(註 16)

三、語彙分析模組

語彙分析模組主要是為詞彙加上詞類標記，進行更高階的處理。若是以下列的句子為例，「蘇聯 總統 戈巴契夫 宣佈 ， 蘇聯 將 在 短

期 內 自 古巴 撤出 一 支 爲數 約 一萬一千 人 的 訓練 旅」，加上詞類標記後爲「蘇聯(Nc) 總統(Na) 戈巴契夫(Nb) 宣佈(VE) ，(COMMACATEGORY) 蘇聯(Nc) 將(D) 在(P) 短期(Nd) 內(Ng) 自(P) 古巴(Nc) 撤出(VC) 一(Neu) 支(Nf) 爲數(Na) 約(Da) 一萬一千(Neu) 人(Na) 的(DE) 訓練(Na) 旅(Na)」，其中括弧內爲該詞彙的詞類。（註17）語彙分析的作法有規則式、統計式、混合式等三種作法，分別簡述如下。規則式的作法以 Brill 的系統最爲著名，Brill 使用一份已經加上詞類標記的訓練語料庫（Training Corpus）作爲建構模型之用。（註18）首先計算語料庫中每個詞彙的詞類種類及其相應的詞類頻率，接著進入起始階段，以最常出現的詞類作爲另一份語料詞彙的詞類，由於該份語料也已經過標記，因此可以比較起始階段的正確率，同時產生錯誤型態。這些錯誤型態事實上可視爲規則，亦即下次遇到相同的狀況應該依照錯誤型態修正。最後不斷重複前述的程序一直到沒有新的錯誤型態產生或是正確率達到預設的水準爲止。整個程序可以用圖2-5 表示。一旦規則建立完成，就能夠依據同樣的作法處理陌生的句子（Unseen Sentence）。

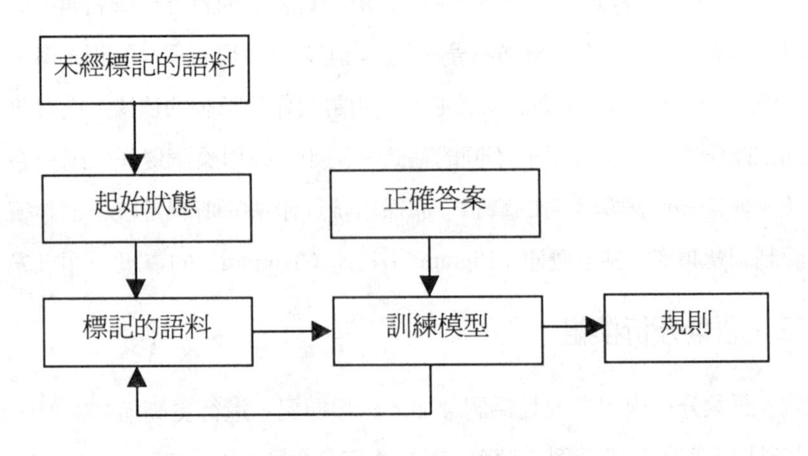

圖 2-5：Brill 的訓練程序

統計式的作法則以 Church 最早提出（註 19），使用詞類的機率與詞類的雙連機率，決定句子中每一個詞彙的詞類，其計算模型如以下數學式所示。

$$\prod_{i=1}^{n} P(w_i \mid t_i) \times P(t_{i+1} \mid t_i)$$

其中 $P(w_i|t_i)$爲已知詞類爲 t_i 的情形下，其詞彙爲 w_i 的機率；$P(t_{i+1}|t_i)$爲已知當前詞彙的詞類爲 t_i，下一個詞類爲 t_{i+1} 的機率，這些機率值可以由訓練語料庫取得。這種統計模型計算所有可能的組合機率，然後決定機率最大者爲解答。

混合式的作法則融合規則式與統計式的優點，這一類的系統以 Tapanainen 與 Voutilainen 提出者最爲著名，其正確率可達 98%（註 20），但所必需付出的代價是計算時間過長。

四、語法分析模組

語法分析（剖析，Parsing）會產生所謂的剖析樹（Parsing Tree），其目的在於瞭解各詞彙扮演的語法功能。分析使用者查詢問句的研究一直是資訊檢索、資訊擷取等領域努力的目標，然而資訊檢索系統或是資訊擷取系統必須在很短的時間反應使用者的查詢，因此使用於前述系統的剖析策略必須非常快速。但是從事剖析技術的學者專家都瞭解，剖析自然語言事實上是非常困難的，一個十幾個字的句子很有可能會有上百個可能的剖析樹，進行完全的剖析（Complete Parsing）常常無法做到，因此部分剖析（Partial Parsing）的策略逐漸受到重視。Hindle 於 1983 年提出的規則式語法分析系統 Fidditch 所產生的剖析結果經常不是剖析樹，而是所謂的剖析森林（Parsing Forest），因此，可以將 Fidditch 視爲部分剖析系統。（註 21）筆者於 1993 年提出的機率式部分剖析系統，則是將句子切分為一段段的「單層剖析樹」，例如 “When we are about to read a sentence, we usually read it chunk by chunk.”會切分為 [When we] [are about to] [read a sentence,] [we usually read it] [chunk by chunk]。（註22）這種部分剖析的策略能夠辨識句子中的重要成分，卻不必花用太多的時間處理各語法成分間結構上的關係，非常適用於資訊檢索或擷取系統的應用。

五、語義分析模組

文字普遍充滿了各種歧義（Ambiguity）的現象，但是讀者通常都能夠瞭解所指為何，就以英文的 bank 為例，很可能是銀行或是河岸的意思，讀者可由句子中其他的文字或是前後文判斷。若是使用者進行檢索時使用了 bank 這個詞彙，檢索系統必須決定到底所指為何，然而目前現有的資訊檢索系統並沒有進行類似的處理，否則使用者應當可以得到更好的服務。

就目前文獻提出的作法可分為辭典為本（Dictionary-Based）、案例為本（Example-Based）與統計為本（Statistics-Based）等策略。有些系統就以辭典（機讀辭典，Machine Readable Dictionary）中詞義排名第一者做為詞彙的詞義，然而這種處理方式等於是沒有進行任何處理。由於詞彙在不同的語境（Context）有其不同的意思，有學者使用詞彙前後各 50 個詞彙作為該詞彙的特徵向量（Feature Vector），由語料庫訓練而得各詞彙不同詞義的特徵向量，藉以判別相同詞彙再次出現時其詞義為何。筆者則是於 1994 年就使用共容訊息（Mutual Information，簡稱 MI）（註 23）提出藉由句子中各個詞彙詞義的相互限制決定詞義的作法。（註 24）現在更有學者嘗試建立加註詞義標記（Semantic Tag）的語料庫，提供研究人員進行辨識詞彙歧義的研究。（註 25）

前述的自動化技術分別代表五種不同層次的文件處理程序。由於現今的文件型式愈趨多元化，版面分析可以確立文件各部份文字結構上的關係，如果系統容許副主題（Subtopic）檢索或擷取（註 26），版面分析是不可或缺工作。其餘幾項技術則視資訊系統建構者希望系統提供服務的層次而定。對於資訊系統建構階段，前述的五種技術只需要使用一次即可，然而，一旦系統建構完成，提供使用者檢索或擷取重要的資訊時，到底使用者鍵入的查詢必須處理到什麼層次，端視政策與時間以及當初系統建構時所處理的層次而定，如果系統建立時僅處理至語法分析階段，對於使用者的查詢處理至語義分析階段就沒有意義了。

第五節　結論

無論是資訊檢索或是資訊擷取，其目的皆爲滿足使用者的資訊需求，然而處於網際網路如此開放的環境下，文件的數量迅速的增加且型態變化極大，如何運用恰當的詮釋資料描述文件，並有效提供資訊服務的品質是一項重要的課題。以目前的發展而言，詮釋資料的研究逐漸受到大家的重視，1997 年的數位圖書館研討會（DL'97）就特別舉辦「索引典與詮釋資料」的會後會（Post-Conference）。（註 27）另一方面資訊擷取的研究也成爲熱門的研究領域，1997 年 3 月於美國舉辦的第五屆應用自然語言處理研討會也特別開辦「建構資訊擷取系統」講習班。（註 28）如何結合詮釋資料與資訊擷取的研究，相信是圖書館學界與電腦科學界未來努力的目標。

這幾年來自然語言處理的研究已經展現其對於資訊檢索的重大影響，在原來偏向統計模式處理檢索的研究取向，加入了語言特性的元素，這可由 SIGIR 學術會議中有關語言處理的學術論文所佔的比重看出。（註 29）對於資訊擷取系統而言，語言分析的技術更為重要，因為資訊的擷取不僅要辨識文件中的專有名詞，同時要解決照應詞問題，然後再建構專有名詞之間的關係，在這個過程中必須使用很多的自然語言技術。本章並就這些語言分析技術做了簡要的說明，提供有興趣的讀者作為初步的參考，至於更深入的細節可以閱讀相關的文獻。

註釋

註 1： 胡述兆、吳祖善合著，圖書館學導論（台北市：漢美，民國 78 年），頁 3。

註 2： 國立編譯館主編，圖書館學與資訊科學大辭典（台北市：漢美，民國 84 年）， 頁 1515。

註 3： 國立中央圖書館主編，臺閩地區圖書館統計名錄（台北市：國立中央圖書館，民國 82 年），頁 1。

註 4： 同註 3，頁 82。

註 5： 由於 Metadata 並沒有統一的翻譯詞彙可茲使用，目前可見的對應中文詞彙有元資料、超資料、詮釋資料。「元資料」很難讓人望文生義；「超資料」則容易與 Hyperdata 混為一談；「詮釋資料」則比較清楚地界定何謂 Metadata，在沒有統一使用的翻譯詞彙出現之前，筆者暫時地將 Metadata 翻譯為詮釋資料。

註 6： GILS. "Guidelines for the Preparation of GILS Entries." 1995, (URL:http://gopher.nara.gov:70/0/managers/gils/guidance/gilsdoc.txt).

註 7： FGDC. "Content Standards for Digital Geospatial Metadata -- FGDC." 1994, (URL: http://fgdc.er. Usgs.gov/fgdc.html).

註 8： Weibel, S., J. Godby, and E. Miller. "OCLC/NCSA Metadata Workshop Report." 1995, (URL:http://gopher.sil.org/sgml/metadat.html).

註 9： 專有名詞的辨識一直是計算語言學與自然語言處理領域重要的研究課題，中文的專有名詞比英文更複雜、更具挑戰性。有關討論專有名詞辨識的論文如下所示：

Chen, K.H. and H.H. Chen. "Extracting Noun Phrases from Large-Scale Texts: A Hybrid Approach and Its Automatic Evaluation." Proceedings of the 32nd Annual Meeting of the Association for Computational Linguistics (ACL94), 1994, 234-241.

Chen, H.H. and G.W. Bian. "Proper Name Extraction from Web Pages for Finding People in Internet." Proceedings of ROCLING X International Conference, 1997, 143-158.

註 10： Appelt, D.E. and Israel, D. Tutorial on Building Information Extraction Systems, 1997, Washington, DC, p.4.

註 11： 同註 10。

註 12： 所謂的適應性系統指的是系統能夠透過某種學習的程序，適應不同類型的環境，並處理不同類型的工作。

註 13： 這個例子是由清大張俊盛教授於 1992 年發表於應用自然語言處理研討會的論文改寫而來，原句是「把劉顯仲的確實行動作了分析」。

Chang, J.S. et al. “A Corpus-Based Statistical Approach to Automatic Book Indexing,” Proceedings of the Third Conference on Applied Natural Language Processing, ACL, 1992, 147-151.

註 14： Chen, K.J. and Liu, S.H. “Word Identification for Mandarin Chinese Sentences,” Proceedings of the 15th International Conference on Computational Linguistics, 101-107.

註 15： Chen, H.H. and J.C. Lee. "Identification and Classification of Proper Nouns in Chinese Texts." Proceedings of the 15th International Conference on Computational Linguistics (COLING96), 1996, 222-229.

註 16： Chiang, T.H. et al. "Statistical Models for Word Segmentation and Unknown Word Resolution," Proceedings of R.O.C. Computational Linguistics Conference V (ROCLING V), 1992, 121-146

註 17： 這個句子是從中央研究院資訊科學研究所詞庫小組建構的漢語語料庫取出的，詞類標記也是由中央研究院資訊科學研究所詞庫小組制訂的，以 N 開頭的詞類如 Na、Nb、Nc 爲名詞；以 V 開頭的詞類如 VC、VB 爲動詞。

註 18： Brill, Eric. "A Simple Rule-based Part of Speech Tagger," Proceedings of the Third Conference on Applied Natural Language Processing, 1992, .

註 19： Church, K.W. "A Stochastic Parts Program and Noun Phrase Parser for Unrestricted Text," Proceeding of the Second Conference on Applied Natural Language Processing, 1988, 136-143.

註 20： Tapanainen, P. And Voutilainen, A. "Tagging Accurately – Don't Guess If You Know," Proceedings of the 4th Conference on Applied Natural Language Processing, 1994, 47-52.

註 21： Hindle, D. User Manual for Fidditch: A Deterministic Parser, Naval Research Laboratory Technical Memorandum 7590-142, Naval Research Laboratory, Washington, D.C., 1983.

註 22： Chen, K.H. and Chen, H.H. "A Probabilistic Chunker," Proceedings of the 6th ROCLING, 1993, 99-117.

註 23： Church, K.W..and Hanks, P. "Words Association Norms, Mutual Information, and Lexicography," Computational Linguistics, 16(1),

1990, 22-29.

註 24： Chen, K.H. Bilingual Constraints in Lexical Selection, unpublished report, 1994.

註 25： Wilks, Y. And Stevenson, M. "Sense Tagging: Semantic Tagging with a Lexicon," cmp-lg/9705016, 1997.

註 26： Hearst, M. And Plaunt, C. "Subtopic Structuring for Full-Length Document Access," Proceedings of the 6th International ACM SIGIR Conference on Research and Development on Informaiton Retrieval, 1993, 59-68.

註 27： Post-Conference Workshops,
URL: http://www.sis.pitt.edu/ ~diglib97/Workshops.htm.

註 28： 同註 10。

註 29： 計算機學會（Association for Computing Machinery，簡稱 ACM）設有許多特殊興趣小組（Special Interesting Group，簡稱 SIG），其中 SIGIR 是由資訊檢索的學者專家組成，該小組每年舉辦 ACM SIGIR Conference，會中發表的論文代表的是資訊檢索領域中最新的發展趨勢。

第三章　詮釋資料與資訊檢索

資訊檢索研究的目的在解決人類對於資訊的需求。然而，隨著不同資訊型態的出現，資訊檢索的技術亦必須逐漸多樣化，以適應各種型態的資訊。本章說明透過詮釋資料進行檢索，可以適用於各種型態的資訊，故可稱之爲資訊檢索核心技術。本章並探討三種不同層次的詮釋資料：靜態權威詮釋資料、動態權威詮釋資料、個人化詮釋資料，及其可能的應用方式。

第一節　序論

Borko 在 1968 年的“Information Science: What Is It?” 重要論述中（註 1），曾經提出資訊科學的研究範疇應包括資訊的需求與使用、文件的建立與複製、語言分析、翻譯、摘要分類編碼與索引、系統設計、分析與評估、樣式辨識、適應性系統等九項，並且認爲資訊科學具有理論的與應用的兩種不同的面向，而圖書館學的研究可以視爲應用面向的資訊科學。

雖然國內對於「圖書資訊學」到底是「圖書館學」與「資訊科學」的簡稱，還是真正有所謂的「圖書資訊學」仍然有所爭議，但是自 Borko 論述的數十年後，即將進入公元二千年的今日，圖書館學研究的典範也已經有所變遷，其與資訊科學之間的關係也與以往不同，同時學科間的交流日益頻繁，跨學門的研究逐漸成爲主要的研究模式，電子圖書館（Electronic Library）與數位圖書館（Digital Library）的研究便具體地展現前述的研究趨勢（註 2）。

圖書館學的研究長期著重於實體圖書館（Physical Library），然而隨著網際網路成爲訊息交流的重要管道，透過網路擴大圖書館服務的對象、提升圖書館服務的品質、加強圖書館服務的內容，應是圖書館學界鞏固既有研究領域之外，亟待努力的方向。有鑑於部分學門的學者專家認爲在電子圖書館的架構之下，僅需要全文檢索技術，吾人必須基於實體圖書館研究的豐富經驗，提出圖書資訊學界的看法，導正前述稍嫌粗糙的觀點，投入這項跨學門且新興的重要研究。

資訊檢索是電子圖書館研究的一項課題，如何滿足使用者或讀者的資訊需求，是資訊檢索的重要目標。本章並不討論整個電子圖書館的研究，而主要著重於在電子圖書館的架構下，資訊檢索應該以何種面貌呈現。一般而言，因應不同的資訊型態，會有各種不同的檢索技術，然而是否有核心的資訊檢索技術可適用於各種資訊型態，筆者企圖對此問題提出圖書資訊學的觀點。本章第二節將討論各種資訊型態及相應的檢索技術；第三節將以資訊組織與整理的觀點，討論圖書館處理資訊的作法，並基於前述的討論，提出所謂核心的資訊檢索技術。第四節則依據第三節的討論，提出靜態的、權威控制的詮釋資料格式（Metadata Format）與動態的、權威控制的詮釋資料格式、個人化詮釋資料格式及其可能的應用方式。第五節則是簡短的結論。

第二節　資訊型態與檢索

自有人類歷史以來，資訊就有各種不同的型態，隨著文明不斷地演進，資訊型態亦越見繁複，不同資訊型態的結合在今日亦是司空見慣，而有「多媒體」資訊的術語。若以今日科技的觀點，吾人可以將資訊區分爲以下數種型態：

- 文字（Text）：包括以 ASCII、EBCDIC、Latin-I、BIG5、GB、JIS、KS、EUC、UNICODE 等不同編碼方式爲各種語言文字建立的數位表示系統所呈現的資訊。
- 影像（Image）：包括以 GIF、JPEG、TIFF、BMP 等方式建立的靜態影像。通常以解析度（Resolution）與色階（Color Depth）表示影像的品質。
- 音訊（Audio）：通常區分爲語音（Speech）與樂音（Music），因爲特性不同而採用不同的數位表示方式。例如 CD 的樂音品質爲 44.1KHz 取樣率，樣本值以 16 位元表示。視訊常見的格式有 MID、WAV、AU、MP2、MP3 等編碼方式。
- 視訊（Video）：可以視爲動態影像，亦即以連續播放不同的畫面影像即可構成視訊，例如電影每秒鐘播放 24 張畫面。常見的格式有 MPEG、MOV、FLI 等編碼方式。

既然有以上不同的資訊型態，檢索這些資訊的技術亦有所不同。

傳統的資訊檢索領域集中於文字資訊檢索的研究，發展出向量空間模型（Vector-Space Model）、機率模型（Probabilistic Model）、布林模型（Boolean Model）。（註 3）由於是處理文字資訊，自然語言處理（Natural Language Processing）的相關技術便廣爲資訊檢索研究者採納，例如索引詞彙的選擇、索引典的建置、快速剖析程序（Parser）的研製。至於檢索的方式多數是全文檢索，亦有提供欄位檢索的系統，以滿足使用者不同的資訊需求。

影像檢索與視訊檢索的研究通常是由影像處理與電腦視覺研究者所主導。其檢索的方式通常是所謂的內容爲基礎的檢索（Content-Based Retrieval），例如，使用者的檢索需求爲「山丘上白色教堂」的影像圖片。這種技術便與前述「文字資訊」的檢索完全不同，因而無法使用相同的技術。至於以內容爲基礎的檢索技術，IBM 公司研發 QBIC（Query By Image Content）技術，以顏色、材質、形狀等等方式檢索影像資訊（註 4）；張世富教授亦發展許多影像檢索的技術。（註 5）

檢索音訊的使用者，其需求亦與文字資訊的檢索不同。例如，使用者可能只記得一段旋律，卻希望可以檢索原始樂曲；或是透過音高、響度等音訊的物理特性進行檢索。音訊檢索的技術多數是由數位訊號處理（Digital Signal Processing，簡稱 DSP）的研究者所研發的，例如 Blum 發展的內容爲基礎的音訊檢索即是採用 DSP 技術。（註 6）

基本上，視訊檢索的本質與影像檢索相似，但是卻更爲複雜，因爲視訊本來就是動態的影像。使用者對於視訊檢索的需求也類似於影像，可能是某個畫面的特徵，包括色彩、背景、形狀、人數等等。當然，目前有許多單位正進行視訊檢索的研究，如卡內基美崙大學（Carnegie Mellon University）（註 7），堪薩斯大學（Kansas University）。（註 8）

一份電子文件通常包含數種型態的資訊，吾人可說多媒體資訊是目前資訊的主要型態。例如，一段柯林頓總統與葉爾辛總統的高峰會新聞片段，其中包括美俄二位總統的對話（音訊），影像中會有美俄高峰會相關的文字，以及連續的畫面構成的視訊。這種複雜的資訊是由各種不同型態的資訊所構成，因此要檢索這一類型的資訊必須考慮各種檢索技術，以及其間的互動過程。

有關各種資訊型態的檢索技術，曾元顯教授在 1996 年「21 世紀資訊科學與技術的展望」研討會發表的「多媒體資訊檢索技術之探討」論文，有更詳盡的討論，讀者參見該論文可以獲得進一步的說明。（註 9）簡言之，吾人可以得到一個初步的結論，意欲建構適用多種資訊型態的檢索系統，必須由各學門領域的學者與專家研發特用的檢索技術。然而，是否有一種檢索方式是適用所有的資訊型態，如果答案是肯定的，或許吾人可以稱之爲資訊檢索的核心技術。圖書資訊學作爲資訊組織與整理的核心學門，對於資訊的處理有豐富經驗，且讓吾人從圖書資訊學的觀點審視這個問題。

第三節　資訊組織與整理

實體圖書館存在的歷史極爲久遠，圖書的組織與整理在中國也有長久的歷史，中國第一套實際使用的圖書分類法是由漢朝劉向劉歆父子所創之「七略」（註 10），至於目前廣泛使用的杜威分類法與國會圖書分類法也有很長的歷史。除了分類法之外，圖書館行之有年的機讀編目格式（Machine Readable Cataloging Format，簡稱 MARC）記載著圖書的分類、主題、題名、作者、出版者、以及其他的稽核資訊，並且搭配著標題表、索引典、權威檔、與編目規則（如英美編目規則，中國編目規則），透過如此詳密的組織與整理，圖書館的使用者才能夠非常有效地檢索圖書。至於一般人常誤認圖書館僅收藏「圖書」，以致於認爲目前所採用的圖書組織與整理的方法無法運用於其他型態的資訊，筆者以爲這是必須要釐清的觀念。

翻看中國編目規則，吾人可以清楚看到處理的資訊型態，有「圖書」、「連續性出版品」、「善本圖書」、「地圖資料」、「樂譜」、「錄音資料」、「電影片及錄影資料」、「靜畫資料」、「立體資料」、「拓片」、「微縮資料」、「電腦檔」等等。（註 11）因此，若是從描述圖書或館藏的觀點而言，圖書館使用的方法足以處理目前所有的資訊型態，若是將這些描述性資訊記錄於機讀編目格式，透過電腦系統的輔助，使用者可以檢索所有經過組織與整理的資訊。

對於目前受到大眾極爲重視的網路資訊，圖書資訊學的作法仍然是極爲可行的，網路上也有不少網站是使用圖書館的分類法、標題表、或索引典組織並整理資訊的。例如，CyberDewey（註 12）使用杜威分類法；CyberStacks(SM)（註 13）使用國會圖書分類法；CliniWeb（註 14）使用美國醫學標題表（MeSH）；INFORMINE（註 15）則使用美國國會圖書標題表。此外，著名的網路主題指引 Yahoo，其分類架構（如表 3-1 所示）雖然並非遵循任何一種圖書館使用的分類法，卻也聘請具有圖書資訊學專業知識的員工整理並組織網頁。以上種種情形在在說明了，圖書資訊學在網路資訊組織與整理這項工作上所扮演的角色。

如果仔細地審視目前資訊檢索的研究，應該會瞭解一件事實，也就是有各種不同學科背景的學者與專家投入，因此可以視之爲跨領域的研究。在電子圖書館／博物館的架構之下，資訊型態是多元化的，資訊檢索的角色亦隨之呈現多元化的發展，在各特定領域皆有其展現與組織的方式。然而，在這些相異的地方是否有共同之處，或是有所謂的「核心」？經過這幾年學者專家的研究，吾人認爲應該有「核心」，否則已建構的異質性電子圖書館／博物館，如何從事最低程度的資料交換，如何進行分散處理、整合檢索，如何建構所謂的"Interoperability"。（註 17）在前述的基本看法之下，無論是任何形式的媒體，其檢索方式也應有共同的核心。因之，若是從宏觀的角度審視電子圖書館／博物館的研究、建構，必不能忽視各個學術領域對於不同型態資訊的研究與貢獻。長期以來，圖書資訊學的研究就著重於資訊的組織與整理，無論是紙本資訊、非書資料、或是多媒體，因之，自然比其他學術領域更容易掌握資訊的組織與整理。

表 3-1：Yahoo 之分類架構（註 16）

Main Class	Class	Main Class	Class
Arts & Humanities	Literature, Photography...	Business & Economy	Companies, Finance, Jobs...
Computers & Internet	Internet, WWW, Software, Games...	Education	Universities, K-12, College Entrance...
Entertainment	Cool Links, Movies, IIumor, Music...	Government	Military, Politics, Law, Taxes...
Health	Medicine, Diseases, Drugs, Fitness...	News & Media	Full Coverage, Newspapers, TV...
Recreation & Sports	Sports, Travel, Autos, Outdoors...	Reference	Libraries, Dictionaries...
Regional	Countries, Regions...	Science	Biology, Astronomy...
Social Science	Archaeology, Economics...	Society & Culture	People, Environment, Religion...

舉一例說明，加州大學聖塔芭芭拉分校（University of California at Santa Barbara）進行的 Alexandria 計畫，對於地圖等特殊資料也採用文字形式的描述（註 18），Dublin Core 雖然不如 FGDC 專門爲地理資訊設計的詮釋資料詳細，僅有的 15 個欄位，但是也能夠用於描述地圖等形式的資訊。（註 19，20）同理，對於檢索技術而言，全文檢索行之有年，有些領域採用這種作法即可，例如 WWW 上比較粗糙的檢索，有些領域可能需要圖形、色彩的檢索，更有一些領域需要音律、音符的檢索，這些就是所謂的相異之處，需要各領域的努力、協助。然而，是否有共同之處，答案是肯定的。經過這幾年電子圖書館的研究，各國的研究者已逐漸達到一個共識，答案就是透詮釋資料進行細緻且高價值的資訊檢索，這也是爲何 ACM、IEEE 等各個重要單位目前積極舉辦詮釋資料相關學術會議與研討會的原因。（註 21）

第四節 詮釋資料

所謂的詮釋資料，指的是用以說明、描述其他資料的資料，目前有眾多的翻譯方式，筆者以詮釋資料稱之，其原因已於另文說明。（註 22）詮釋資料的格式一般是由權威機構（Authority）經過使用者研究與館藏性質研究，並遵循典藏政策，從而決定應該使用何種欄位以描述藏品。詮釋資料提供的資料欄位可視爲檢索點，使用者透過這些著述資料，便能夠檢索館藏或是資訊。因而，吾人可以說凡是經過組織與整理的資訊，都可以透過詮釋資料提供的檢索點進行檢索，所以資訊檢索的核心技術應由詮釋資料的研究入手。

正由於詮釋資料是由權威機構制訂，詮釋資料的格式通常是靜態的、固定的、而甚少更動的，這種作法有其優點亦有其缺點，茲分別說明如下。對於設定使用群的資源提供者，必定對使用群的資訊尋求行為有一定的瞭解，因而詮釋資料格式具備的欄位應該是這群使用者經常使用的檢索點，所以使用者的資訊需求應經常獲得滿足。但是，即使是穩定的使用群，其資訊的需求會隨時間的遞移而變化，終究會出現使用者所需的資訊無法直接透過詮釋資料欄位檢索的情形。一個可能的解決辦法是，採用動態的詮釋資料格式，欄位會隨著多數使用者需求的變化而改變，圖 3-1 可用以說明前述的作法。然而，即使採用動態詮釋資料格式，多數的時候詮釋資料格式仍然是靜態及權威控制的。對於使用群較廣泛而不確定的系統而言，使用最少的詮釋資料欄位（例如 Dublin Core）是比較可行的作法，並且另外採用資訊擷取（Information Extraction）的技術輔助，方能滿足不同使用者特定的需求。

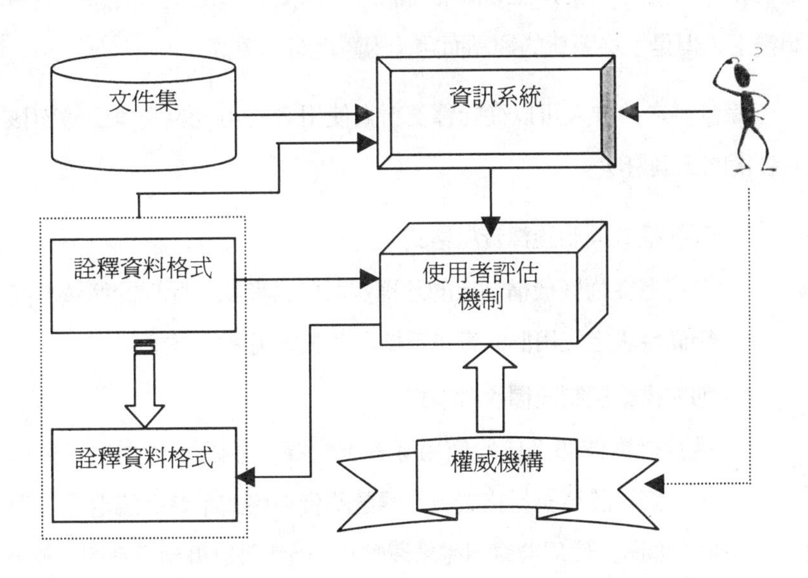

圖 3-1：動態詮釋資料格式模型

本書第二章曾經討論何謂資訊擷取，也說明目前電腦科學界正積極地從事這項研究。根據訊息理解會議的說法，資訊擷取是根據預先定義的資訊需求樣版，而由資料庫或文件庫中擷取出使用者所需的資訊。事實上，資訊擷取與詮釋資料的研究是息息相關的，因爲詮釋資料的格式與資訊擷取的樣版，在本質上是相同的，只是制訂的方式與應用的時機有所不同。對於資訊擷取系統的使用者而言，系統可以將使用者的資訊需求以表格化的方式呈現，如同早期IBM發展的Query By Example（QBE）（註 25），系統依據表格的要求，從文件集擷取適當的資訊填入適當的欄位。因爲使用者的資訊需求若以表格化的方式呈現，也就是欄位名／欄位值配對的集合，所以吾人可將其視爲個人化的詮釋資料格式（User-Oriented Metadata Format），此種詮釋資料格式是複雜而多變的，並非權威機構所制訂，卻更能滿足使用者特定的資訊需求，但是，從系統的觀點而言，困難度當然更高。

綜合言之，吾人可以從詮釋資料與使用者的角度說明資訊檢索核心技術的三個層次。

- 靜態權威控制詮釋資料格式
  使用者從權威機構制定的詮釋資料檢索資訊，此種詮釋資料能夠滿足設定使用群的資訊系統之多數使用者的需求。
- 動態權威控制詮釋資料格式
  權威機構依據系統的使用者查詢記錄，並配合自動化學習機制，修訂詮釋資料格式。動態詮釋資料格式不會面臨老舊、過時的問題，使用群資訊需求變動時，仍然可以得到滿意的服務。
- 個人化詮釋資料格式
  個別使用者的特定資訊需求，無法由權威詮釋資料滿足時，可以提出個人化的詮釋資料格式，並以表格化的方式呈現，系統依據此表格各欄位名即時由文件集擷取適當資訊填入表格。

第五節　結論

網際網路的發展與電子圖書館概念的興起，對於吾人取用資訊的方式有重大的影響。本章思索資訊檢索技術在電子圖書館的架構之下，如何因應不同的資訊型態。筆者認爲各種型態的資訊有特定的資訊檢索技術，能夠發揮該資訊的特性；但是同時有一種核心的檢索技術適用所有的資訊型態，亦即透過詮釋資料進行資訊檢索。

從目前學術界紛紛從事詮釋資料的相關研究，可以瞭解以嚴謹的態度從事資訊的組織與整理已經受到大家的重視。檢索經過組織與整理的資訊，其求全率（Recall）與求準率（Precision）（註 26）均能夠大幅提昇，而更能滿足使用者的需求。至於所謂的經過組織與整理的資訊，也就是吾人爲其建立適當的詮釋資料，因此透過詮釋資料檢索不僅是核心的檢索技術，也是重要的、高效益的檢索技術。

此外，筆者從三個層次討論如何進行詮釋資料的檢索，並且結合資訊擷取技術，說明靜態權威詮釋資料、動態權威詮釋資料、個人化詮釋資料在資訊檢索過程中扮演的角色。如果資訊系統能夠提供上述不同層次的詮釋資料，且使用者能夠有效運用，再搭配各種資訊型態特定的檢索技術，必定可以滿足不同使用者的資訊需求。

註釋

註 1： H. Borko, “Information Science: What Is It?” American

Documentation 19:1 (Jan 1968): 3-5.

註 2： 本章不擬討論電子圖書館、數位圖書館、虛擬圖書館之異同，國內學界對此項議題並沒有一致的看法，不同的論述散見於相關期刊、會議論文集，讀者可以自行參考。筆者只能說圖書館學界傾向使用「電子圖書館」，電腦學界傾向使用「數位圖書館」。

註 3： G. Salton, Automatic Text Processing (New York: Addison Wesley, 1989), 313-373.

註 4： Christos Faloutsos et al., "Efficient and Effective Querying by Image Content," Journal of Intelligent Information Systems 3 (July 1994): 231-262. 讀者請參見 IBM 數位圖書館首頁，http://www.software.ibm. com/is/dig-lib/，可以獲得更詳細的說明。

註 5： S.F. Chang, "Content-Based Indexing and Retrieval of Visual Information," IEEE Signal Processing Magazine 14:4 (July 1997): 45-48.

註 6： Thom Blum et al., "Audio Databases with Content-Based Retrieval," in Intelligent Multimedia Information Retrieval, ed. Mark Maybury (Menlo Park: AAAI Press, 1997), 119.

註 7: Informedia, 1996, <http://www. informedia.cs.cmu.edu/> (13 Nov. 1998).

註 8： Susan Gauch, Wei Li and John Gauch, "The VISION Digital Video Library," Information Processing & Management 33:4 (April 1997): 413-426.

註 9： 曾元顯，「多媒體資訊檢索技術之探討」，21 世紀資訊科學與技術的展望國際學術研討會論文集，世界新聞傳播學院圖書資訊學系及國家圖書館主辦，民國 85 年 11 月 7-9 日，頁 281-298。

註 10：何光國，圖書資訊組織原理（台北市：三民書局，民國 79 年），頁 131。

註 11：中國圖書館學會，中國編目規則（台北市：圖書館學會，民國 84 年），頁 xiv-xix。

註 12：CyberDewey, 1995, <http://www.lm.com/~mundie/CyberDewey/CyberDewey.html> (13 Nov. 1998).

註 13：CyberStacks(sm), 1996, <http://www.public.iastate.edu/~CYBERSTACKS/OCLC.htm> (13 Nov. 1998).

註 14：CliniWeb, 1995, <http://www. ohsu.edu/cliniweb/> (13 Nov. 1998).

註 15：INFORMINE, 1994, <http://lib-www.ucr.edu/> (13 Nov. 1998).

註 16：Yahoo, 1994, <http://www. yahoo.com/> (13 Nov. 1998).

註 17：Interoperability 主要討論的是異質系統之間相容性，Interoperability 有不同的層次，不同的系統若能夠達到 Interoperability，則可以共享並交換各種不同層次的資源，如資訊、程式、功能、服務等等。

註 18：Alexandria Digital Library, 1996, <http://www.alexandria.ucsb.edu/> (13 Nov. 1998).

註 19：Dublin Core Metadata Initiative, 1998, <http://purl.oclc.org/dc/> (13 Nov. 1998).

註 20：FGDC. "Content Standards for Digital Geospatial Metadata -- FGDC." 1994, <http://fgdc.er.usgs.gov/> (13 Nov. 1998).

註 21：ACM 與 IEEE 紛紛舉辦詮釋資料相關會議，請參見下列網站。Conference on Digital Libraries: Post-Conference Workshops, 1997, <http://www.sis.pitt.edu/~diglib97/Workshops.htm> (13 Nov. 1998). First IEEE Metadata Conference, 1996, <http://www.llnl.

gov/liv_comp/metadata/events/ieee-md.4-96.html> (13 Nov. 1998).

註 22： 本書第二章已經說明原因，請參見第二章。

註 23： Message Understanding Conference, 1994, <http://www.tipster.org/muc.htm > (13 Nov. 1998).

註 24： D. Appelt and D.Israel, Tutorial on Building Information Extraction Systems (Washington, DC, 1997), 4.

註 25： R. Elmasri and S. Navathe, Fundamentals of Database Systems (CA: The Benjamin/ Cummings Publishing company, Inc., 1994), 249.

註26： 資訊檢索研究經常使用"Recall"與"Precision"兩個重要的術語，臺灣地區使用的中文翻譯並不統一，如Recall有譯爲回現率、回收率、召回率等等，而Precision有譯爲精確率、準確率等等。然而，無論回現率、回收率等等詞彙都無法表達Recall的意涵。大陸地區使用的中文翻譯分別爲「查全率」與「查準率」，確實反應Recall與Precision的意涵。但是Recall與Precision已經廣泛使用於其他研究領域，如中文斷詞，「查」這個字在這類應用卻無實際的意義，所以本書使用「求全率」與「求準率」表示之。

第四章　文件主題之辨識

網際網路上的電子文件數量極為龐大，如何快速有效的進行電子文件主題標引的工作，逐漸成為一項重要的研究課題。目前相關的研究，皆著重於名詞的行為，期望藉由文獻中名詞的頻率或是其他統計值，求得文獻的主題分類。雖然文獻的主題是由名詞組成，但是本章認為決定哪些名詞成為主題的因素卻不應只是名詞。因為文獻的組織是具有結構性的，是事件驅動（Event-Driven）的，而事件，則是由名詞與動詞共同完成的，名詞與動詞在決定文獻主題的過程中具有相當重要的地位。本章考慮文獻的一般行為，提出四項因素：1) 詞彙的重要性，2) 詞彙的重複性，3) 詞彙的共現性，4) 詞彙的距離，建構一個數學模型並進行讀者與模型的比較實驗。實驗結果顯示該模型的自動主題辨識與人工主題辨識具有相當的效能。

第一節　序論

自從網際網路蓬勃發展，電子資訊快速累積，而電腦科技的日新月異，再加上商業體系的投入，整個世界就像是縮小了一般，快速傳遞的訊息，使人類享有前所未見的資訊服務。以往資訊的提供者，通常是有組織的機構，如圖書館、博物館、行政單位、企業組織等；今日，任何人也可以作爲資訊的提供者，因爲藉由網際網路的連線，便可將個人的觀點、評述、作品傳播給眾人。知識的權力下放給一般的使用者，讓網際網路呈現一片生氣盎然。然而，問題隨之產生。

Piatetsky-Shapiro 與 Frawley 在 1991 年指出，每 20 個月資訊量會增加一倍，要注意的是，這是 1990 年的估測。（註 1）而根據統計，Usenet 的資訊，每年增加一倍；Internet 資訊流量，每月增加 12%。（註 2）至於臺灣的情形，教育部統計 TANet 對外的網路流量，1992 年 2 月爲 27,446,892Kbytes；1993 年 1 月爲 47,275,416Kbytes；到了 1995 年 11 月，便增加爲 283,458,248Kbytes；吾人可以發現這期間，網路對外流量成長 10 倍以上。（註 3）資訊的浪潮吞噬了人們，使用者茫然不知所措，要從茫茫的資訊大海選取一瓢可用之水，真不是件容易的事。如何協助使用者或讀者取得需要的資料，成爲一項重要的研究課題，爲使用者整理資源的服務也應運而生。此類的服務分爲兩種：一爲主題指引（Subject Directory）；一爲搜尋引擎（Search Engine）。目前提供此類服務的機構非常多，前者如 Yahoo（註 4），後者則以迪吉多公司的 Alta Vista 爲代表。（註 5）然而，他們也都存在著一些問題。以 Yahoo 爲例，該公司聘請大量的員工，負責的工作是判定新增 WWW 首頁的主題分類。然而，同一個人對於同一份文件，今日與明日的判斷不見得相同，即所謂的"Intra-Indexer Inconsistency"問題；同樣的，不同的人對同一份文件的判斷也不見得相同，亦即所謂的"Inter-Indexer Inconsistency"問題。因此，引進自動化的機制協助人類，似乎是不可避免的。另外，就使用者的角度而言，目前各個提供檢索服務的公司，所使用的查詢介面仍然是控制式的查詢語言，這對於使用者而言，極爲不方便。若是有一種機制能夠決定文獻資料的主題，也能夠用於判定使用者使用自然語言查詢的主題，這樣的機制可以快速地協助人們更新服務的內容，避免分類不一致的情形，對於資料的過濾、取用與查詢將會有很大的幫助。

目前自然語言處理與計算語言學的研究相當活躍，隨著電腦硬體的快速發展，以往無法做到的技術得以在新的計算平台上實現。雖然語言（包括書面語（Written Language）與口語（Spoken Language））的現象十分的複雜，要全盤掌握仍有待長久的努力，但是也已經有很多的研究成果。（註 6）網路資源文獻主要是以書面語的形式傳播（當然多媒體的資訊越來越多，但是仍然少不了書面語的部份，同時這些書面語通常扮演說明的角色，具有舉足輕重的功能），因此使用語言處理技術分析電子文件是很自然的作法。目前有許多研究機構從事有關文獻主題的研究，若仔細地檢視這些研究成果，可以發現它們著重於文獻中名詞的行爲，期望藉由文獻中名詞的頻率或是其他統計值，求得文獻的主題。雖然文獻的主題是由名詞組成，但是，筆者認爲決定哪些名詞成爲主題的因素卻不應只是名詞而已。一般而言，文獻的組織是具有結構性的，文獻中資訊內容是由事件驅動（Event-Driven），而事件則是由名詞與動詞共同完成的。因此，名詞與動詞在決定文獻主題的過程中都具有重要地位。本章將補上目前世界各國在這方面研究的空白，加入動詞的考量，並依據四項因素：1)詞彙的重要性，2)詞彙的重複性，3)詞彙的共現性，4)詞彙的距離，模擬書面語（文獻）的一般行爲，希望據此建構一個數學模型，進而運用該模型分析文獻資料，協助人類自動辨識文獻的主題。

第二節　文獻分析

圖書館爲了協助讀者取得需要的資訊，館藏皆經由一定的加值處理（Value-Added Processing）。例如索引者（Indexer）與摘要者（Abstractor）爲文獻加上必要的索引詞彙與摘要，其目的是讓讀者或使用者擁有更多的訊息判斷本身的資訊需求。一般而言，各類型的文獻都有適當的 Metadata 用以描述文獻的各項訊息。傳統的機讀格式（MARC）可視爲一種 Metadata，記載極爲繁複的訊息（註 7）；也有比較簡單的 Metadata，例如都柏林核心集（Dublin Core），只有 13 個必要的欄位。（註 8）無論是那一種 Metadata 應當都會有一欄記載所描述文獻的主題，美國國會圖書館出版的 LCSH 標題表，讓圖書館員從中選取適當的詞彙，爲文件加註適當的主題（註 9）；美國醫學圖書館也有 MeSH（註 10），其功能與 LCSH 相同；我國國家圖書館同樣也出版中文圖書標題表，供全國圖書館使用。（註 11）。

館員進行主題標引的工作，是屬於一種心智的活動，館員依據館方的政策以及控制詞彙的規範，衡諸本身對於文獻的瞭解，選定適當的主題。這樣的工作消耗許多的人力，而在電子文件越來越多的情況之下，完全仰由人工進行主題標引的工作方式，幾乎不可行。因此運用電腦科技協助主題標引的工作，成爲資訊檢索領域一項重要的研究課題。

自動主題標引可分爲兩個方式：

- 由標題表或索引典挑選適當詞彙
- 由文件本身挑選適當詞彙

第一種方式，事實上是模擬圖書館館員進行人工標引的作法，也稱爲控制詞彙標引；而第二種方式就是所謂的主題辨識，也可稱爲自由詞彙標引，接近言談語言學家企圖擷取文件核心意念的作法。此二種作法各有其優缺點。使用控制詞彙，一般使用者若不知道那些是控制詞彙，則無法檢索到需要的資訊；使用自由詞彙則會造成索引典過於龐大，難以規範詞彙與詞彙之間的關係。以下，筆者將採用第二種方式，發展自動主題標引的程序，以減少大量人力的投入，未來則將另就整合控制詞彙與自由詞彙進行研究。

資訊檢索技術的研究是爲了解決讀者資訊需求的問題，協助讀者以最少的時間取得最多且最有用的資訊，避免讀者迷失於龐然的資訊之洋。資訊檢索相關研究的發展可以大致分爲兩個脈絡：一爲由文件本身出發；一爲由使用者的觀點出發。無論是由何種角度從事資訊檢索的研究，其目的都是希望能夠達到上述的目標。

Belkin 從使用者檢索的角度切入，提出 16 種不同的檢索策略（Information Seeking Strategies，簡稱 ISS），將使用者可能的檢索方式分爲 16 個空間，並且描繪使用者初始狀態的空間，以及如何由一個空間轉入另一個空間。這些空間由互動方法（Method of Interaction）、互動目標（Goal of Interaction）、檢索模式（Mode of Retrieval）、使用的資源（Resource Considered）四個向度規範。四個向度各有兩種可能性，因此共計有 16 個 ISS。（註 12）

Rijsbergen、Sparck Jones 與 Salton 等人則建構了從文件詞彙入手的統計學派，著重於透過文件詞彙的分析，提出文件模型、判定文件主題或是伴隨回饋機制，建構符合使用者資訊需求的檢索系統。多數的電腦科學研究人員遵循這個脈絡進行資訊檢索的研究。

Sparck Jones 於 1972 年提出了逆向文件頻率（Inverse Document Frequency，簡稱 IDF），並進行一連串實驗，發現使用 IDF 的檢索系統能夠產生比較有效的檢索結果。（註 13）Salton 於 1973 年至 1975 年之間提出了數篇論文，進一步使用詞彙鑑別值（Term Discrimination

Value，簡稱 TDV）的觀念，加強資訊檢索系統的效用。（註 14）Rocchio 與 Ide 等人則提出查詢修正（Query Modification）的觀念，希望經由第一次查詢所得的結果，經過修正原始查詢，再次送出新的查詢，以獲得更好的檢索成果。這種觀念導入回饋機制的研究，也使得統計學派的資訊檢索研究與使用者有一定程度的互動。（註 15）

從語言學的觀點來看，相對於口語，文獻內的文字表述屬於書面語，因而語言學家同樣對文件感到莫大的興趣，尤以從事言談分析（Discourse Analysis）研究或是語料素材（Corpus）研究的語言學家為然。因此，另外一派以語言學的角度建構文件模型的研究也蓬勃發展（註 16），認為純然的統計模型會忽略語言的特性，無法掌握文件的重要特質。因此，提出許多結合統計的語言模型，企圖更加合理地規範文件。在電腦硬體日新月異的情況之下，許多計算語言學的技術得以實現，因之，資訊檢索領域與計算語言學領域遂有逐漸交流的情況。

Grosz 與 Sidner 提出的修辭言談結構（Rhetorical Discourse Structure，簡稱 RDS）用以模擬言談的結構，認為言談是一個主題意念完整的結構，其間的遣詞用字都有一定的關係。她們採用語意近似關係（Thesaural Relation）描述言談的結構，並且定義數種不同的語意關係，然而其缺點是這些關係是二元的，並沒有強弱之別。（註 17）Kamp 則運用了名詞宇集（Universal）的概念，透過照應詞（Anaphora）的決定，建立言詞結構中句子與句子的關係。（註 18）然而，目前仍然沒有研究或論著提出直接運用言談分析技術於資訊檢索，資訊檢索有其特殊的使用環境，也就是時間的限制。顯而易見，前述的作法將耗用大量的計算時間，在電腦硬體或是軟體技術再次大幅邁進之前，這些作法的實用性不高。

妥協的方案也有眾多研究人員提出。Hearst 與 Plaunt 利用名詞出現的頻率計算言談結構的範疇（Scope），運用於資訊檢索系統，證實比全文檢索系統更有效。（註 19）筆者則於 1995 年提出的計算模型結合了名詞與動詞的語言特性並計算詞頻統計特性，有效地規範言談結構與主題辨識等現象。然而，美中不足的是其計算量仍嫌過大，模型有待進一步的修正。（註 20）由眾家學者學派之各項論點來看，吾人可發現資訊檢索與計算語言學技術的結合仍有很多發展的空間。

第三節　模型的背景

傳統上，資訊檢索的研究通常使用詞頻（Term Frequency，簡稱 TF）作爲選擇索引詞彙的標準，認爲排除所謂的功能詞彙（Function Word）之後，文件中出現越多次的詞彙越能夠代表該文件的特性。然而，若是相同的詞彙在許多文件都出現，則其代表性會比較不可靠，因爲其鑑別性（Discriminativity）比較低。Sparck Jones 針對這個缺點，提出了逆向文件頻率（Inverse Document Frequency，簡稱 IDF）的修正作法。（註 21）IDF 可以用下列的數學式表示：

$$IDF(w) = \log((P-O(w))/O(w))$$

P 是某一文件集合的文件總數，$O(w)$是包含詞彙 w 的文件總數。當詞彙 w 出現於一半以上的文件，則其 IDF 小於等於 0，吾人可以認爲這個詞彙一點都不重要，對文件集合中的文件不具有鑑別性。引用一個 IDF 小於等於 0 的詞彙做爲文件的索引，就好似使用黃皮膚區別華人與韓人一般，這樣的檢索系統無法有效滿足使用者的檢索需求。Sparck Jones 的修正作法將檢索系統的效能往前邁進一大步，直到現在，TF 結合 IDF 的策略仍然是資訊檢索領域中極爲經典的代表。

吾人若仔細探究目前的研究取向，只要是採取統計方法的研究，基本上是遵循 Sparck Jones 、Salton 等人開創性研究的脈絡。當然，還有其它重要的研究取向，例如 Belkin 提出的使用者導向（User-Oriented）的作法。（註 22）本章則仍然是由計算與統計的角度，觀察資訊檢索這項重要的研究課題。依循統計方式的研究，研究人員都將注意力投注於名詞性的詞彙，嘗試由文件的名詞篩選出具有代表性的名詞做爲文件的特徵。上述的研究程序有一個盲點，無論研究人員如何做，都是試圖在名詞群找關係。例如，Youman、Morris 與 Hirst、Reynar 等人的研究。（註 23）雖然最終的索引詞彙是由名詞構成，然而並不代表這個過程中不可以引進其他的重要因素。吾人若觀察索引者做索引的方式，應當對這個過程有進一步的瞭解。

索引者閱讀文件，通過個人的理解，依據標題表或是索引典，給予適當的控制詞彙做爲索引詞彙；如果是自由詞彙索引（Free-Text Indexing），索引者則由文件中挑選名詞做爲索引詞彙。雖然吾人無法完全斷定索引者的心智活動爲何，但是，顯然不只是閱讀文件中的名詞，從而決定應該使用那些詞彙。從事言談（Discourse）研究的語言學家認爲有意義的文件必定有某些結構，因此提出各種不同的理論，試圖規範言談的結構。其中比較有名的是言談展現結構（Discourse Representation Structure，簡稱 DRS）（註 24），以及修辭言談結構（Rhetorical Discourse Structure，簡稱 RDS）。（註 25）但是，由處理電子文件的角度看文件索引詞彙的判定或是主題的挑選，前述言談結構之計算量太大，無法快速地處理大量且急遽成長的網路電子文件。因此，綜合前述的討論可以歸納爲以下兩點：

- 僅使用名詞進行自動索引或主題辨識的模型並不完整。

- 將言談結構帶入文件模型並不適用於大量的電子文件。

爲了解決前述的問題，本章提出的模型是規範文件中名詞與動詞以及名詞與名詞之間的關係，用以自動決定文件主題。

第四節　模型的數學架構

組織完善，意念完整的文件，其名詞與名詞以及名詞與動詞的關係相當密切，筆者建構的模型是基於下列的假設：

名詞與動詞共存於述語參數結構（註 26）；而名詞間關係是建構於言談層次。

自動辨識電子文獻主題的第一步是必須瞭解構成書面語的要素，也就是一般人撰寫文章的過程。透過大規模語料庫資料的蒐集與分析，使用統計學的模型，可以用電腦技術模擬這種過程。由於目前電腦尚未達到具有智慧的能力，僅能夠透過定量的觀察與模擬，期望當數量到了某一個數字後，定量的模擬能夠逐漸逼近定性的瞭解。筆者使用四種詞彙的數學統計值：

- 詞彙的重要性
- 詞彙的重複性
- 詞彙的共現性
- 詞彙的距離

作爲建構整個模型的基礎，以下分別討論此四種統計值。

詞彙的重要性代表的是，當它出現於文獻時，做爲作者意念核心的機會，也就是當索引者重建作者創作時的心智活動，由文件挑選詞彙做爲文件主題的機會。並不是所有的詞彙都一樣重要。例如，若是將文獻中的冠詞、副詞、以及介系詞等詞彙刪除，仍然能夠知道這份文獻的梗概，這說明了上述的詞彙並不十分重要。反觀之，名詞與動詞就十分重要了。詞彙的頻率常常可以代表某種程度的重要性，這種情形，尤以一般的資訊檢索系統爲最。然而，詞彙的重要性無法由 TF 完全顯示，因爲所謂的重要性是針對文獻而言，並非詞彙本身重要與否。因此 IDF 才能代表詞彙對文獻的重要程度。當文獻的數目夠大時，IDF 值就具有相當高的穩定性，可據以作爲詞彙重要性的計算標準。

意念一致的文獻資料，作者使用的詞彙必然趨向某一個語意範疇。從統計的觀點，這表示該語意範疇的詞彙一起出現的機率比較大。判斷那些詞彙屬於同樣的語意範疇是相當困難的工作，但是由大規模的語料庫計算詞彙的共現的程度就很簡單了。可以使用共容訊息（Mutual Information，簡稱 MI）計算詞彙的共現，其數學式分別如下所示：（註 27）

$$MI(t_i,t_j)=\log\frac{P(t_j \mid t_i)}{P(t_j)}=\log\frac{P(t_i,t_j)}{P(t_i)P(t_j)}$$

共容資訊的意義是，當詞彙 t_i 與詞彙 t_j 經常一起在語料庫出現，聯合機率 $P(t_i,t_j)$會甚大於 $P(t_i)\times P(t_j)$，因此 $MI(t_i,t_j)$會甚大於 0；當 t_i 與 t_j 出現的方式是背道而馳時，$MI(t_i,t_j)$會甚小於 0；當彼此沒有什麼關係時（以機率論的術語而言，也就是互相獨立），因此 $P(t_i,t_j)\cong P(t_i)\times P(t_j)$，所以 $MI(t_i,t_j)$接近於 0。

詞彙的位置也很重要。基於文獻是有生命的文字組合的觀點，相關的詞彙其出現的距離必定不會太長。因爲，一旦相隔太遠，彼此之間的相乘效果就大打折扣，這不會是一般作者的用意。引入距離的因素，比較能夠忠實反應寫作的行爲。距離的計算可採用如下的方式，首先爲每一個名詞與動詞設定一個編號，以下面這一段文字爲例：

蘇聯 $_1$ 許多 製造 $_2$ 民生 $_3$ 日用品 $_4$ 的 工業 $_5$ 得到 $_6$ 政策性 $_7$ 的補貼 $_8$，其 目的 $_9$ 是 保持 $_{10}$ 物價 $_{11}$ 的 平穩 $_{12}$。但 補貼 $_{13}$ 勢 難 普及 $_{14}$ 於 各行各業 $_{15}$，因此 又 造成 $_{16}$ 某 些 日用品 $_{17}$ 不足 $_{18}$ 或 完全 缺乏 $_{19}$ 的 後遺症 $_{20}$。 現在 既然 要 引進 $_{21}$ 市場 $_{22}$ 經濟 $_{23}$，補貼 $_{24}$ 政策 $_{25}$ 又 勢 難 繼續 $_{26}$，一旦，放棄 $_{27}$，許多 民生 $_{28}$ 物資 $_{29}$ 的 價格 $_{30}$ 必然 上漲 $_{31}$，於是 又 引出 $_{32}$ 民間 $_{33}$ 屯積 $_{34}$ 物資 $_{35}$ 與 通貨膨脹 $_{36}$ 的 壓力 $_{37}$。

詞彙 X 與 Y 的距離 $D(X,Y)$ 可以用以下的方式計算：

$$D(X,Y) = \mathrm{ABS}(C(X)\text{-}C(Y))$$

ABS 爲絕對值函數，$C(X)$ 代表詞彙 X 的編號，如 C(政策性) = 7，而 C(目的) = 9，所以 D(政策性,目的) = 2。

綜合以上因素，筆者提出的計算模型爲：

$$Score(n) = PN \times SNN(n) + PV \times SNV(n)$$

$Score(n)$ 爲名詞 n 作爲主題的強度；$SNV(n)$ 爲名詞 n 與其他動詞的強度；SNN 爲名詞 n 與其他名詞的強度；PN 與 PV 分別爲 SNN 與 SNV 的權重。$SNN(n)$ 與 $SNV(n)$ 的計算方式如下：

$$SNN(n_i) = \sum_j \frac{IDF(n_i) \times IDF(n_j) \times f(n_i, n_j)}{f(n_i) \times f(n_j) \times D(n_i, n_j)}$$

$$SNV(n_i) = \sum_j \frac{IDF(n_i) \times IDF(v_j) \times f(n_i, v_j)}{f(v_i) \times f(v_j) \times D(n_i, v_j)}$$

$f(w)$爲詞彙 w 的頻率，$f(w_i,w_j)$爲詞彙 w_i 與 w_j 共同出現的頻率；$D(w_i,w_j)$爲 w_i 與 w_j 之間的距離。可以看出整合了前述的四項考量因素，事實上，$f(w_i,w_j)/(f(w_i)\times f(w_j))$即爲計算詞彙共現的程度，與 MI 具有相同的型式，可稱之爲共容頻率（Mutual Frequency，簡稱 MF）。

第五節　實驗與分析

筆者以中文文件爲處理的對象，因此如何取得大量且高品質的中文電子文件資料，也是一項重要的課題。雖然網路上可以蒐集到大量的中文資料，但是從訓練模型的角度出發，經過整理且受到一定程度控制的文件，才能夠建立有效的模型。而中文因有以下的特性，使得直接由網路取得訓練語料的作法在現階段是不可行的。

- 中文沒有詞間標記，亦即詞與詞之間沒有空格，極易造成詞彙歧異（Ambiguity）的現象。
- 中文的詞類變化極大，同一個詞彙可能具有多種詞類。

若是採用一般的電子文件，必須先經由斷詞程序（Segmentation），各種自動斷詞程序所得的結果，全然正確的情形也不多見。爲了讓模型不受這些因素影響，筆者採用中央研究院平衡語料庫（Sinica Corpus）1.0 版。該語料庫每一份文件皆有分類資訊，標示各種與文件相關的資料；每一個句子都有編號，句子與句子之間以 47 的星號隔開；詞彙則已經分開，並且加上詞類標記（總計有 46 個詞類標記），或其他特徵標記（共有 8 個特徵標記）。（註 28）該語料庫收錄報導、評論、廣告圖文、信函等不同類型的文件，收錄的媒體橫跨報紙、雜誌、學術期刊、教科書、工具書等範疇。（註 29）

整個實驗程序共分為訓練階段、實驗階段、評估階段等三個階段，如下所示：

- 訓練階段
  1. 計算中央研究院平衡語料庫中所有名詞與動詞的 IDF
  2. 計算中央研究院平衡語料庫中兩兩詞彙的 MF
  3. 計算中央研究院平衡語料庫各詞彙的頻率。
- 實驗階段
  1. 隨機選取中央研究院平衡語料庫十篇新聞報導，作為測試語料。
  2. 使用計算模型決定文件中名詞作為主題的優先順序，亦即根據計算所得的 Score 排列名詞。
  3. 八位讀者閱讀上述十篇報導，自行決定文件主題，並依自定的優先順序列出主題。
- 評估階段
  1. 評估計算模型與讀者選定的主題。

本實驗從中央研究院平衡語料庫收錄的報紙媒體語料中，隨機抽取十篇短篇新聞報導，其出處如表 4-1 所示，出處標記之格式為「檔案名：起始句編號-結束句編號」，句數表示該篇文章的句子總數，而詞數則是該篇文章的詞彙總數。實驗語料以報導記敘、評論論說為主，尚有散文描寫類的語料。筆者使用系統模型處理這十篇語料，實驗結果如表 4-2 所示，表 4-2 第二欄記載模型認為充當文章主題的優先順序。由於模型計算文章中所有名詞的主題強度，但因文章中有甚多的名詞，因此第二欄中並沒有將所有的名詞列入，只列出前三分之一的名詞。此外，有八位讀者參與主題辨識的工作，讀者閱讀文章後，根據自己對於文章的理解，排列主題的優先順序。至於列入排列的名詞總數並無任何限制，也就是讀者可自行認定那些名詞是否是該篇文章的主題，因此每位讀者所認定的主題總數，可能會有很大的出入。表 4-3 詳列讀者的閱讀結果。

表 4-1：實驗文件之統計資料

	出處標記	句 數	詞 數
TEXT01	_T-SA.TAG:1-13	13	102
TEXT02	_T-SA.TAG:32-50	19	230
TEXT03	_T-SY.TAG:1-12	12	132
TEXT04	_T-SY.TAG:89-112	24	222
TEXT05	_T-SY.TAG:212-244	33	374
TEXT06	_T-SL.TAG:60-88	29	345
TEXT07	_T-SL.TAG:490-531	42	406
TEXT08	_T-SL.TAG:680-705	26	453
TEXT09	_T-SL.TAG:721-745	25	268
TEXT10	_T-SL.TAG:797-829	33	353

在索引與摘要的研究中，常提及"Inter-Indexer Inconsistency"與"Intra-Indexer Inconsistency"的現象，實驗的結果也有類似的情形。只要稍微比較表 4-3 就能夠發現讀者進行閱讀活動後，經由思考咀嚼後的產物還是有相當的差異。表 4-4 分析了讀者給定的主題數以及相關的統計數字，AVG 代表平均數，STDEV 代表標準差。讀者做實驗之前所獲的指示是：「依據自己閱讀的結果，決定文章的主題，且依優先順序排列，但並沒有主題數目的限制」，表 4-4 的統計數字顯示讀者認定的主題數目變化相當大。就同一文章而言，標準差最高爲 5.63，最低爲 1.36；若從讀者的角度檢視表 4-4，標準差最高爲 4.01，最低爲 0.70。讀者本身的變異程度相對較小。

表 4-2：實驗結果

	名詞擔任主題之優先順序
TEXT01	考試、優待、條文、標準
TEXT02	考試、優待、草案、淪陷區、學歷、部長、標準、辦法
TEXT03	制度、背後、思想、體系、行爲
TEXT04	憲法、普莉揚卡、被選舉權、第三世界、復仇者、身分、政權、後起之秀、桑妮雅、時間
TEXT05	變化、馬列主義、群眾、死路一條、馬克思、教廷、共產黨人、祖國、口號、卡斯楚
TEXT06	史氏、配樂家、ＨＥＲＢＥＲＴＳＴＯＴＨＡＲＴ、色彩、民謠、風味、音樂、包機
TEXT07	考試、虫子、肢腳、老頭、夢魘、金杏枝、磚頭書、查泰萊、習慣
TEXT08	人間、烽火、Ｊａｓｐｅｒｓ、時代、特徵、實質、診斷、商業
TEXT09	編輯、點子、朋友、觀光客、過客、市民、刊、感情、城市
TEXT10	改革、轉機、政變、軍方、葉爾辛、短文、改革派、機率、保守派

表 4-3：讀者選取的主題

	讀者一	讀者二
TEXT01	優待、入學考試、標準	入學考試、優待、標準、條文
TEXT02	大陸、學籍、優待、標準	學籍、學歷、大陸、教育
TEXT03	蘇聯、經改、開放、矛盾	改革、經改、體制、蘇聯、特權
TEXT04	桑妮雅、普莉揚卡、拉吉夫	桑妮雅、普莉揚卡、印度、政權
TEXT05	卡斯楚、馬列主義	卡斯楚、共產黨人、馬列主義
TEXT06	亂世、佳人	亂世、佳人、電影
TEXT07	飄、心得	小說、飄、亂世、佳人
TEXT08	傳播、媒介、實質	實質、傳播、商業、書報、雜誌
TEXT09	人間、稿、台北	台北、稿、都會
TEXT10	蘇聯、經濟、改革、難題	蘇聯、經濟、改革、補貼、難題

表 4-3：讀者選取的主題（續）

	讀者三	讀者四
TEXT01	大陸、入學考試、優待、高中、五專、大學、教育部	入學考試、優待
TEXT02	大陸、教育、學籍、學歷、學生、考試、優待、國統綱領、草案、淪陷區	學歷、條件、大陸、教育局
TEXT03	蘇聯、經改、轉型期、體制	開放、改革、思想、行爲、模式、矛盾、轉型期、特權、既得利益、體系
TEXT04	印度、普莉揚卡、桑妮雅、甘地、拉吉夫、第三世界、政權	桑妮雅、普莉揚卡、拉吉夫、復仇者、煩惱
TEXT05	蘇聯、古巴、哈瓦那、戈巴契夫、卡斯楚、第三世界、馬列主義	卡斯楚、共產黨人、蘇聯、戈巴契夫、馬列主義、第三世界
TEXT06	亂世、佳人、郝思嘉、蓋博、費雯麗、密契兒、霍華、賽茨尼克、電影、音樂、影業、票房、記錄、金像獎、配樂家、史氏、亞特蘭大、熱潮、焦點	亂世、佳人、美國、霸權、藝術
TEXT07	亂世、佳人、書、小說、愛亞、白瑞德、郝思嘉、電影	心得、小說、興趣
TEXT08	商業性、出版界、商品、人文性、時代、知識、書報、雜誌、商業、Jasper、廣告	實質、媒介、商業性、消費者、知識、訊息、特徵、出版物
TEXT09	台北、都會、城市、市民、台北人、形貌、感情、專輯	台北、專輯
TEXT10	蘇聯、經濟、改革、戈巴契夫、民生、保守派、葉爾辛、政變	蘇聯、戈巴契夫、經濟、改革、補貼、物價、中小企業

表 4-3：讀者選取的主題（續）

	讀者五	讀者六
TEXT01	入學考試、優待、標準、條文	入學考試、大陸、優待、大學、高中、五專、標準
TEXT02	教育、學籍、學歷、大陸、台灣、辦法、草案	大陸、學籍、學歷、學生、教育部、考試、優待、草案
TEXT03	體制、制度、經改、蘇聯、特權、既得利益、利益、問題	蘇聯、經改、制度、體制、人民、特權、轉型期
TEXT04	普莉揚卡、桑妮雅、政權、印度、婚姻、豪門	印度、普莉揚卡、桑妮雅、拉吉夫、第三世界、政權
TEXT05	卡斯楚、共產黨、馬列主義、古巴、蘇聯、戈巴契夫	古巴、哈瓦那、蘇聯、卡斯楚、戈巴契夫、馬克斯、共產黨
TEXT06	亂世、佳人、電影、亞特蘭大、內戰、文化、焦點、文學、藝術	亂世、佳人、飄、電影
TEXT07	愛亞、亂世、佳人、心得、書、學校	亂世、佳人、小說、印象
TEXT08	印刷物、商業性、知識性、人文性、診斷、書報、雜誌、廣告、實質	傳播、出版物、書報、雜誌、功能、商品、商業性、知識性
TEXT09	台北、台北人、市民、感情、專輯	台北、形貌、感覺、感情
TEXT10	經濟、改革、蘇聯、改革派、保守派、勢力、戈巴契夫、補貼、政策	蘇聯、經濟、改革、民生、工業、補貼、政治、勢力

表 4-3：讀者選取的主題（續）

	讀者七	讀者八
TEXT01	入學考試、優待、標準	大陸、入學考試、考試、優待、標準
TEXT02	學歷、學籍、辦法、草案	大陸、台灣、學籍、學歷、學生、國統綱領、淪陷區、考試、優待
TEXT03	轉型期、制度、體制、利益	蘇聯、經改、制度、思想、行為、體制、轉型期、特權
TEXT04	普莉揚卡、印度、政治、生活	桑妮雅、印度、普莉揚卡、婚姻、政治、拉吉夫
TEXT05	共產黨、古巴、蘇聯、卡斯楚	卡斯楚、古巴、共產黨、馬列主義、馬克斯、蘇聯、戈巴契夫、哈瓦那
TEXT06	電影、文學、金像獎	電影、亂世、佳人、文學、藝術、美國、時代、文化、好萊塢
TEXT07	小說、書	小說、飄、電影、亂世、佳人、愛亞
TEXT08	出版物、價值、商業、廣告	書報、雜誌、文字、知識、訊息、價值、時代、特徵、商業
TEXT09	稿、感情、點子、城市	台北、城市、都市、感情、市民
TEXT10	蘇聯、經濟、改革、政策	蘇聯、經濟、改革、物價、市場、企業、政治、派系

如果檢視讀者認定的主題彼此之間重複的情形，可以用表 4-5 顯示超過 1 位讀者以上選擇的主題。其中為八位讀者共同認定的主題僅有 7 個，而總共有 57 個主題僅有一位讀者認為足以代表該篇文章。圖 4-1 更易看出讀者之間變異程度實在是不小。

實驗模型判定主題的品質，首先可以和讀者的實驗結果比較，若是以多數讀者認定的主題為基礎，則模型實驗結果與讀者閱讀結果的重複性可用表 4-6 表示。表 4-6 的第一欄「無」表示模型選定的主題並無任何一位讀者認為是主題；第二欄「一位」表示有一位讀者選定的主題與模型選定的相同，其他欄依此類推，系統模型選定的主題若是與越多讀者選定的主題相符，便代表模型越能夠模擬閱讀行爲。檢視表 4-5 與表 4-6 可以發現，八位讀者一致同意的主題，系統模型大致也都找出來，如 TEXT01、TEXT04、TEXT05、以及 TEXT10 等文章。然而，TEXT07 的實驗結果卻不好，仔細閱讀該篇文章，發覺該篇文章的意念較爲發散，並不容易做好，再比較讀者閱讀該篇文章後給定的主題，可由表 4-5 發現各讀者的閱讀結果，也是以 TEXT07 最不一致。圖 4-2 繪製系統模型實驗結果與讀者閱讀結果的相似程度，總共有 38 個主題並沒有任何讀者認爲是主題；另外有 42 個主題至少有一位讀者選定；被八位讀者共同認定的主題有 4 個。若比較圖 4-1 與圖 4-2，也能夠輕易發現它們的分佈情形相當類似。

表 4-4：讀者判定主題數目之比較

	讀者一	讀者二	讀者三	讀者四	讀者五	讀者六	讀者七	讀者八	AVG	STDEV
TEXT01	3	4	7	2	4	7	3	5	4.38	1.85
TEXT02	4	4	10	4	7	8	4	9	6.25	2.55
TEXT03	4	5	4	10	8	7	4	8	6.25	2.31
TEXT04	3	4	7	5	6	6	4	6	5.13	1.36
TEXT05	2	4	7	6	6	7	4	8	5.50	2.00
TEXT06	2	3	19	5	9	4	3	9	6.75	5.63
TEXT07	2	4	8	3	6	4	2	6	4.38	2.13
TEXT08	3	5	11	8	9	8	4	9	7.13	2.80
TEXT09	3	3	8	2	5	4	4	5	4.25	1.83
TEXT10	4	5	8	7	9	8	4	8	6.63	2.00
AVG	3.0	4.1	8.9	5.2	6.9	6.3	3.6	7.3		
STDEV	0.82	0.74	4.01	2.62	1.79	1.70	0.70	1.64		

表 4-5：讀者判定主題的重複性

	一位	二位	三位	四位	五位	六位	七位	八位
TEXT01	2	4	1	0	0	1	0	2
TEXT02	4	4	3	2	0	0	3	0
TEXT03	4	7	0	1	2	3	0	0
TEXT04	5	3	0	1	1	1	1	1
TEXT05	0	3	1	1	2	2	0	1
TEXT06	18	5	2	0	0	1	2	0
TEXT07	5	1	4	0	2	1	0	0
TEXT08	7	8	4	3	2	0	0	0
TEXT09	4	3	4	0	1	0	1	0
TEXT10	8	7	1	1	0	0	0	3
SUM	57	45	20	9	10	9	7	7

表 4-6：模型與讀者實驗結果的重複性

	無	一位	二位	三位	四位	五位	六位	七位	八位
TEXT01	0	1	1	0	0	0	1	0	1
TEXT02	1	1	2	1	2	0	0	1	0
TEXT03	1	1	2	0	1	0	0	0	0
TEXT04	5	1	1	0	1	0	0	1	1
TEXT05	6	0	2	0	0	0	1	0	1
TEXT06	5	3	0	0	0	0	0	0	0
TEXT07	9	0	0	0	0	0	0	0	0
TEXT08	2	2	2	0	2	0	0	0	0
TEXT09	5	1	0	2	0	1	0	0	0
TEXT10	4	3	1	0	0	0	0	0	1
SUM	38	13	11	3	6	1	2	2	4

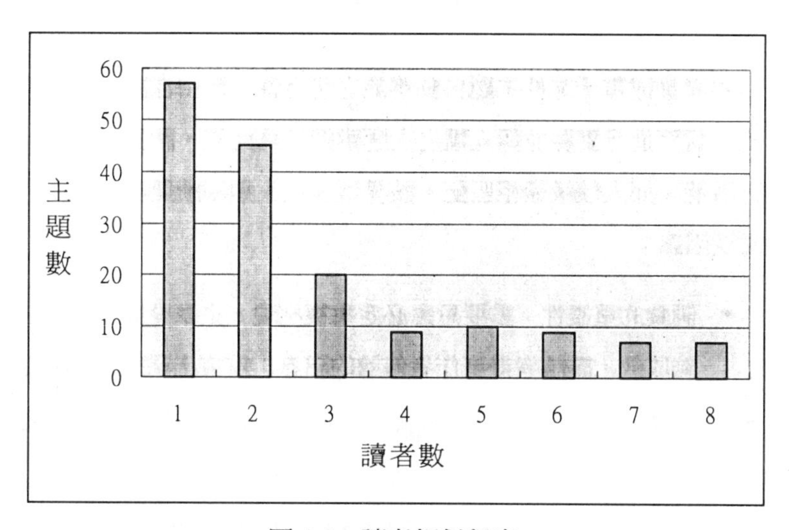

圖 4-1：讀者相似程度

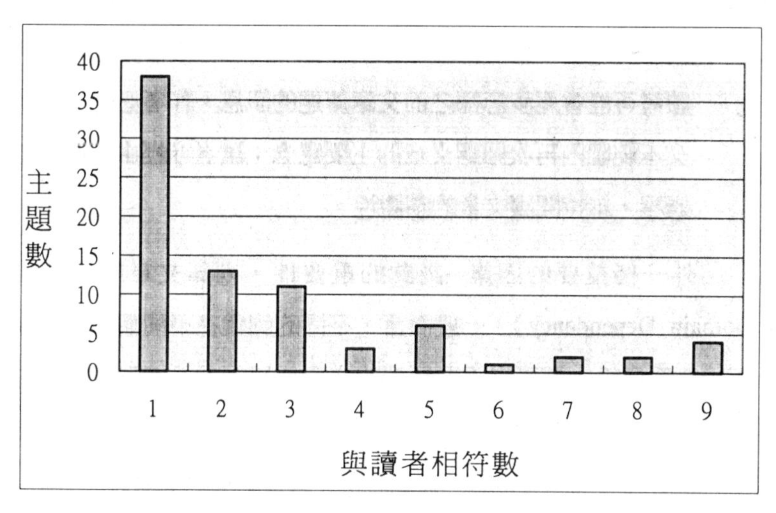

圖 4-2：系統模型與讀者的相似程度

第六節　結語與討論

本章探討電子文件主題自動辨識之可行性，藉由自動辨識模型之提出，實際進行實驗並與人類之主題辨識行爲比較，證實自動辨識模型的效能可與人類辨識相匹配。該模型引入人類閱讀與創作行爲的三個重要因素：

- 詞彙的重複性：重要意念必定重複出現，文章整體的意義才能夠收斂，讓讀者得到作者傳遞的訊息；重複出現的詞彙會讓讀者留下深刻的印象，讀者認定其做爲文章主題的可能性隨之提高。
- 詞彙的共現性：文章核心的意義是由周遭詞彙的逐步加強而越顯清晰，作者必須使用相關聯的詞彙以強調文章的主要意義；讀者亦經由詞彙彼此的關聯，逐步理解文章傳達的訊息。
- 詞彙的距離：隨著文章的長度加強，作者的意念會隨之稀釋，讀者可能會逐步忘卻之前文章傳達的訊息。作者必須在一定的文本範圍內再次強調文章的主要意念；讀者亦經由如此的強化過程，維持閱讀文章的整體性。

另外一個重要的因素--詞彙的重要性，則與文章的類型相關（Domain Dependency）。一般而言，不同的詞彙在不同類型的文章有其不同的重要性，這可由不同類型的文章使用詞彙的情形得知。衡量詞彙的重要性必須由收集的文章語料評估，如此才能反應詞彙的分佈情形，筆者使用 Sparck Jones 提出的 IDF 衡量詞彙的重要性。

事實上綜合以上的因素，筆者提出的模型有一個隱而不現的前提，意即「作者是基於有意義的心智活動，將之轉化爲有組織結構的文章。」如果作者是隨意胡謅，基本上，系統模型也無法有效找出作者到底在說些什麼。

受限於時間與人力，筆者僅邀請八位讀者參與人工辨識的實驗，但是也有 80 份的實驗樣本。以實驗結果而言，讀者之間的分散程度（變異程度）確實不低，這個結果與眾多文獻提及圖書館員進行圖書文獻之主題標引工作時，常有的“Indexer Inconsistency”的現象一致。（註 30）至於模型與讀者的實驗結果相較，眾多讀者選定的主題，系統模型都能夠有效辨識；讀者傾向於分歧的文章，系統模型也有同樣的現象，顯示模型近似於讀者的閱讀行爲。

基本上，自動主題辨識的模型可以消除耗費大量人力的問題。然而由圖書館（無論是實體圖書館或是虛擬圖書館）經營的角度，必須提供讀者或使用者各式各樣的需求，因此用以描述文獻的 Metadata 欄位不僅僅只有主題這一個欄位，尚有其他重要的欄位。若是考慮各類型不同館藏有其不同的需求，Metadata 的格式隨之不同，以美國爲例，研製完成的 Metadata 有其適用的範圍，如 GILS 用以描述美國政府公文（註 31）；FGDC 則用以描述地理資訊（註 32）；尚待完成的 Dublin Core（註 33）則被圖書館、資訊科學、電腦網路等領域的專家寄以厚望，希望能夠有效描述網路上的電子文件。（註 34）所以僅僅爲了如何有效描述資源，必須處理的狀況就已經非常複雜，而自動主題標引僅解決其中一項工作。目前已有一些自動辨識人名、地方名、組織名的系統（註 35），可以協助吾人加註文獻資料的 Metadata，但是困難的地方，卻是這一類的系統如何適應不同的 Metadata 格式，如何配合 Metadata 格式適當地變更加註的 Metadata。

爲了因應電子文件累積量成長越來越快的現象，再衡諸目前國內的各項相關研究，筆者認爲必須先制訂適用於中文文獻的 Metadata。目前國內除了機讀格式以外仍然沒有一套 Metadata，一些學者專家也看到這個問題。國立台灣大學正積極進行的大型研究計畫「電子圖書館與博物館--文獻藏品數位化計畫」（註 36），有一個研究小組正進行相關的研究，初步計畫是參考 CIMI（註 37）與 Dublin Core 的格式，配合使用者需求的研究，發展適用於平埔族文物的 Metadata 格式，未來更將推展到適用於其他文獻的 Metadata。

當然，電腦進行前述的自動程序所得結果品質的良莠，憑恃系統模型是否真正能夠有效模擬人類的行爲，學者專家是否能將隱而不見的知識轉化爲機器能夠使用的形式。在爲人類建立更好、更有用的資訊服務系統的過程中，仍然有許多困難有待克服，也因此存有很大的空間讓研究人員發揮想像力，可見人們在資訊檢索的研究領域上仍有很長一段路要走。

註釋

註 1： Piatetsky-Shapiro, G. and W.J. Frawley. editors. Knowledge Discovery in Databases. Cambridge, MA: MIT Press, 1991.

註 2： Witten, I.H., A. Moffat and T. Bell. "Compression and Full-Text Indexing for Digital Libraries." Digital Libraries: Current Issues. Eds. N.R. Adam, B.K. Bhargava and Y. Yesha. Berlin: Srpinger-Verlag, 1995, 181-201

註 3： 陳雪華，圖書館與網路資源，台北市：文華圖書，民國 85 年。

註 4： Yahoo. (URL: http://www.yahoo.com/).

註 5： Alta Vista. (URL: http://altavista.digital.com/).

註 6： 計算語言學的研究在國外一直相當的活躍，國內雖然僅有少數的研究機構進行相關研究，但一直有很好的研究成果，如中央研究院的詞庫小組，是國內計算語言學研究的重鎮，在陳克健教授、黃居仁教授主持之下，建構了許多重要的語料庫，也發表眾多學術論文；國立清華大學電機工程學系蘇克毅教授、國立台灣大學資訊工程學系陳信希教授、國立清華大學資訊科學系蘇豐文教授、張俊盛教授也有極爲優異的研究成果。

註 7： 國家圖書館，中國機讀編目格式，台北市：國家圖書館，民國 86 年 6 月。

註 8： Weibel, S., J. Godby, and E. Miller. "OCLC/NCSA Metadata Workshop Report." 1995, (URL: http://gopher.sil.org/sgml/metadata.html).

註 9： Library of Congress subject headings. 20th ed. Library of Congress, Cataloging Distribution Services, 1997.

註 10： McKinnon, Emma Jean, Carolyn Anne Reid. MeSH for searchers. Chicago: Medical Library Association, 1992.

註 11： 國立中央圖書館，中文圖書標題表，台北市：國立中央圖書館，民國 82 年 4 月。

註 12： Belkin, Nicholas J. Tutorial for Information Retrieval: Information Retrieval as Interaction, 1994.

註 13： Sparck Jones, K. "A Statistical Interpretation of Term Specificity and Its Application in Retrieval." Journal of Documentation 28.1 (1972): 11-21.

註 14： Salton, G. and C.S. Yang. "On the Specification of Term Values in Automatic Indexing." Journal of Documentation 29.4 (1973): 351-372.

Salton, G. "A Theory of Indexing." Proceedings of Regional Conference Series in Applied Mathematics, No. 18, Society for Industrial and Applied Mathematics, Philadelphia, PA, 1975.

Salton, G., C.S. Yang, and C.T. Yu. "A Theory of Term Importance in Automatic Text Analysis." Journal of the ASIS 26.1 (1975): 33-44.

註 15： Rocchio, J.J., Jr. "Relevance Feedback in Information Retrieval." The SMART System -- Experiments in Automatic Document Processing. Ed. G. Salton. New Jersey: Prentice-Hall Inc., 1971, 313-323.

Ide, E. "New Experiments in Relevance Feedback." The SMART System -- Experiments in Automatic Document Processing. Ed. G. Salton. New Jersey: Prentice-Hall Inc., 1971, 337-354.

註 16： 即下文所提及的 Grosz、Sidner、Kamp 等人。

註 17： Grosz, B. and C. Sidner. "Attention, Intentions, and the Structure of Discourse." Computational Linguistics 12.3 (1986): 175-204.

註 18： Kamp, H. "A Theory of Turth and Semanitc Representation." Formal Methods in the Study of Language. Eds. J. Groenendijk, T. Janssen, and M. Stokhof. Vol. 1. Mathematische Centrum, 1981.

註 19： Hearst, M. and C. Plaunt. "Subtopic Structuring for Full-Length Document Access." Proceedings of SIGIR-93, 1993, 59-68.

註 20： Chen, K.H. "Topic Identification in Discourse." Proceedings of the 7th Conference of the European Chapter of ACL, 1995, 267-271.

註 21： 同註 13。

註 22： 同註 12。

註 23： Youmans, G. "A New Tool for Discourse Analysis: The Vocabulary-Management Profile." Language 67 (1991): 763-789.

Reynar, J. "An Automatic Method of Finding Topic Boundaries." Proceedings of the 32nd Annual Meeting of ACL, 1994, 331-333.

註 24：同註 18。

註 25：同註 17。

註 26：所謂的述語參數結構（Predicate-Argument Structure）指的是，句子中的動詞扮演述語（Predicate）的角色；而主詞與受詞扮演參數（Argument）的角色。若以「小華吃了一頓大餐」爲例，其述語參數的關係結構如下圖所示：

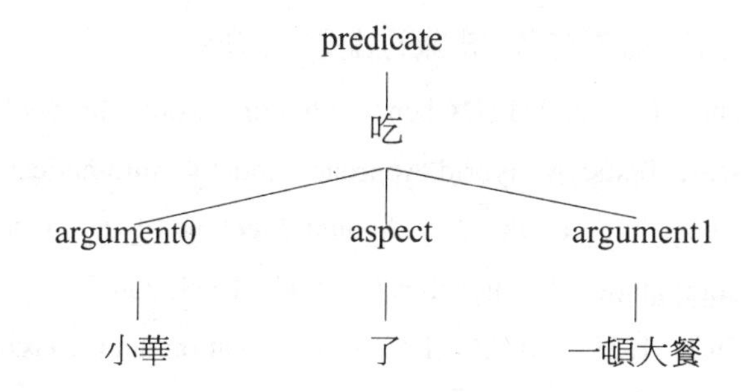

註 27：Church, K.W., and P. Hanks. "Word Association Norms, Mutual Information, and Lexicography." Computational Linguistics 16.1 (1990): 22-29.

註 28：中央研究院詞庫小組，中央研究院平衡語料庫的內容與說明，技術報告 95-02。

註 29：同註 28。

註 30：Hodge, Gail. Automated Support to Indexing. Philadelphia: The National Federation of Abstracting and Information Services, 1992.

註 31：GILS. "Guidelines for the Preparation of GILS Entries." 1995, (URL: http:// gopher.nara.gov:70/0/managers/gils/guidance /gilsdoc.txt).

註 32： FGDC. "Content Standards for Digital Geospatial Metadata -- FGDC." 1994, (URL: http://fgdc.er.usgs.gov/fgdc.html.

註 33： 同註 8。

註 34： 有關 Metadata 更詳細的資訊，可以拜訪國際圖書館協會聯盟（IFLA）的網站(http://www.nlc-bnc.ca/ifla/II/metadata.htm)，該站擁有極爲詳盡的 Metadata 資源，非常具有參考價值。

註 35： 專有名詞的辨識一直是計算語言學與自然語言處理領域重要的研究課題，中文的專有名詞比英文更複雜、更具挑戰性。有關討論專有名詞辨識的論文如下所示：

Chen, K.H. and H.H. Chen. "Extracting Noun Phrases from Large-Scale Texts: A Hybrid Approach and Its Automatic Evaluation." Proceedings of the 32nd Annual Meeting of the Association for Computational Linguistics (ACL94), 1994, 234-241.

Chen, H.H. and J.C. Lee. "Identification and Classification of Proper Nouns in Chinese Texts." Proceedings of the 15th International Conference on Computational Linguistics (COLING96), 1996, 222-229.

Chen, H.H. and G.W. Bian. "Proper Name Extraction from Web Pages for Finding People in Internet." Proceedings of ROCLING X International Conference, 1997, 143-158.

註 36： 台灣大學，電子圖書館與博物館--文獻與藏品數位化計畫，民國 86 年。(URL: http://ntudlm.csie.ntu.edu.tw/).

註 37： Consortium for the Interchange of Museum Information (CIMI), (URL: http://www.cimi.org/).

第五章　文件之語言剖析

資訊檢索系統的發展已行之有年，然而使用者查詢的方式仍是以關鍵詞為基礎，並且結合布林邏輯運算。對於使用者而言，最自然的查詢方式是使用自然語言查詢所需要的資訊。尤其當語音輸入技術達到實用階段時，自然語言查詢的需求，將益形重要。少數具有自然語言查詢方式的系統，使用的僅是樣式比對（Pattern Matching）的技術，無法知道各詞彙之間的關係，當然也就無法知道各詞彙扮演的角色。本章提出一種自然語言剖析的技術，可以快速並且穩定地剖析自然語言，分析各詞彙的關係與彼此的角色，而建構這種剖析技術所需的資源僅僅是具有詞類標記的語料庫。在分析大規模的實驗結果之後，根據 Crossing 準則，平均準確率為 81%；根據 PARSEVAL 準則，平均的求全率與求準率皆為 33%。

第一節　序論

自古以來，人類探詢資訊的行為就已經非常普遍。例如，由天空的色彩與雲狀，得知天氣的好壞；由太陽的位置，得知時間的訊息；由莊稼的收成，得知地利的良莠；由他人的表情與姿勢，得知言下之意。尙書堯典也曾記載堯帝命羲氏與和氏推算日月星辰運行的規律:「乃命羲和親若昊天曆象日月星辰敬授人時」(註 1)。

時序進入科學昌明的時代，人類對於資訊的需求益形殷切，培根說:「知識就是力量」(註 2)，但是，知識的形成卻是需要資訊不斷的累積、分析與合成。如今，世界最大的圖書館-美國國會圖書館，館藏量已達九千萬件（註 3)，而隨著網際網路的蓬勃發展，人類面臨了資訊爆炸的問題，獲得有用資訊的代價越來越高。如何協助讀者或是尋求資訊的人們取得有用的資訊，成爲圖書館研究領域中非常重要的課題。資訊檢索系統的研究已經進行很長的一段時間，其目的在於協助使用者從浩瀚的資訊汪洋，取得有用、適用的資訊。目前的檢索系統提供的檢索方式不外乎關鍵詞或是索引詞彙加上布林運算子的組合。對於使用者而言，最自然的查詢方式是使用自然語言查詢需要的資訊。少數具有自然語言查詢方式的系統，使用的僅是樣式比對的技術，在資訊檢索的環境裡，樣式指的是關鍵詞或是索引詞彙。關鍵詞比對的優點是處理速度快，而且簡單。但是，此法也有重大的缺點，例如無法知道各詞彙之間的關係，當然也就無法知道各詞彙扮演的角色。查詢問句中各詞彙到底是主語、謂語、還是賓語，無法透過簡單的關鍵字比對得到解答。想要解決這些問題，必須進一步的處理查詢問句，也就是剖析的工作，而且在資訊檢索的環境，處理時間不能過長。

有相當多的專家學者提出各種不同剖析自然語言的演算法，早期規則式的剖析技術需要語言學專家整理分析語法規則，耗費極大的人力、物力。當規則式系統的規模不大的時候，通常相當有效率；然而當系統逐漸成長（規則越來越多)，規則間的不一致現象造成系統發展者很大的困擾，也使得系統效率越來越差。最後往往只能處理許多語言的核心現象，通常無法處理真實生活的用語。

近來使用語料庫（註 4）進行自然語言的研究逐漸活絡起來。主要的原因是，語料庫提供真實的語料，透過觀察大量的語料庫，可知道人們生活起居語言使用的情形。其次，電腦科技的突飛猛進，有快速的微處理器足以進行複雜的語言模型計算；有高容量的儲存媒體得以儲存訓練語料，使得早在 60 年代就已經存在的研究方法，再度呈現新的生命。

筆者根據語料庫研究方法的脈絡，提出一個快速的、初步的自然語言剖析技術（Parsing Technology），基本上具有下列的特性：

- 使用詞類資訊，進行自然語言剖析
- 剖析技術容易移轉至其他語言
- 建立二元剖析樹
- 剖析速度快

本章第二節介紹筆者提出的剖析技術的基本觀念；第三節則說明根據資訊理論，如何度量詞彙與詞彙之間的關係；第四節討論使用 Crossing 與 PARSEVAL 兩種準則，評估實驗的結果；第五節提出剖析演算法，並且說明訓練語料庫以及測試語料庫，最後進行一連串的實驗；第六節說明這個剖析技術可能的後續研究與應用；第七節做一個簡短的結論。

第二節　自然語言剖析

剖析自然語言一直是瞭解語言最初步的工作，然而卻不是簡單的工作。一個非常簡單的句子爲例：

Jordan watched a girl with a telescope.

介詞組 with a telescope 可以修飾名詞組 a girl 或是修飾動詞組 watched a girl。雖然在多數的情況下，人類能夠瞭解上面的句子指的是 Jordan 用望遠鏡看一位女子，而非看著一位攜帶望遠鏡的女子。但是要電腦正確地判斷，卻需要許多細微而複雜的知識。例如，電腦得知道望遠鏡是一種可用來觀望的工具，因此與動詞 watched 的關連性比較高，而且必須知道一般女子攜帶望遠鏡的情形比較少見。

事實上，有不少專家學者提出不同的辦法（註 5），盡可能地解決這類詞組併接（Phrases Attachment）的問題，然而自然語言畢竟過於複雜，剖析的結果常常是一座剖析森林（Parsing Forest）而非一棵剖析樹（Parsing Tree）。以 Hindle 提出的 Fidditch 剖析程式為例，剖析下面這個句子時，產生的就是一座剖析森林：

The radical changes in export and customs regulations evidently are aimed at remedying an extreme shortage of consumer goods in Soviet Union …

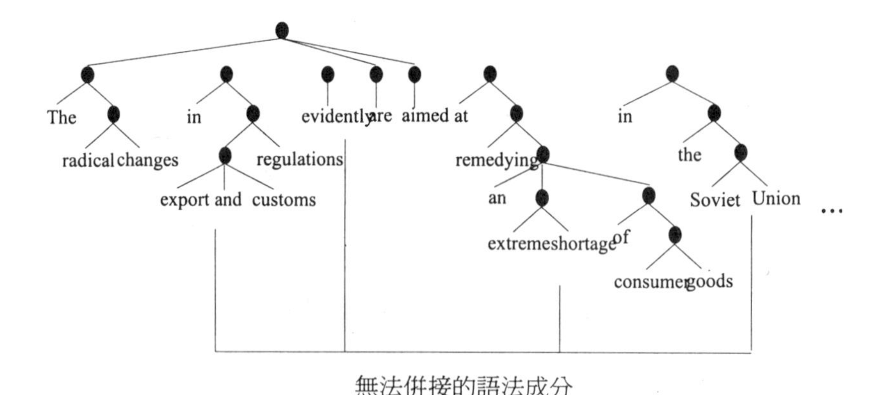

圖 5-1：Fidditch 剖析器產生的剖析森林

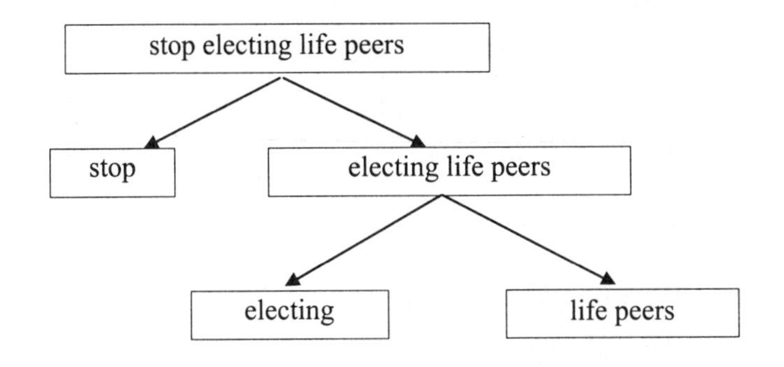

圖 5-2：自然語言的二元樹狀結構

圖 5-1 表示相對的剖析森林，圖中清楚的表示筆者稱之爲森林的原因，因爲許多語法成分無法互相併接，構成一棵完整的樹，因此成爲一棵棵的樹。企圖使用語意的知識解決併接問題的努力，仍然持續地進行中。但是，如何適切地表達知識卻又是另一個重大的研究課題。（註 6）而語料庫卻提供了另一扇窗戶，許多語料庫語言學專家（註 7）發現若能夠使用大量的語料庫，建構適當的統計式語言模型，許多語法與語意等等的語言知識都能夠用數值化的統計參數表現。對於筆者於本章提出的剖析技術，也將由這一個角度出發。（註 8）

當看到一系列的詞彙時，人類如何建構這些詞彙彼此之間的關係。以“stop electing life peers”爲例（註 9），可以明確地知道“life”與“peers”的關係最密切，接著是“electing”與“life peers”，然後才是“stop”與“electing life peers”。換另一個角度，也可以視爲將這個句子重複地分成兩段，直到最後的一段剩下兩個詞彙爲止。按照這樣的關係可繪出一棵樹狀結構，或許也可稱之爲剖析樹（爲了方便起見，筆者爾後將直接以剖析樹稱之），請見圖 5-2。前述的例子直接以詞彙本身作爲考慮的因素，然而，以 LOB Corpus 有 49,426 個詞彙爲例（註 10），考慮詞彙兩兩之間的關係，總共有 2,442,880,050 個統計參數，以 LOB Corpus 的大小而言，這樣的參數量過大，參數值的信賴度比較低，下面將以詞類取代詞彙，這個動作相當於將詞彙分類。LOB Corpus 總共有 134 個詞類，參數量可以有效地降低，信賴度也比較高。筆者以前述的句子加以說明：

Stop_VB electing_VBG life_NN
Peers_NNS（註 11）

對應的樹狀結構為[[VP ： stop_VB [VP ： electing_VBG [NP ： life_NN peers_NNS]]]。這種逐步決定詞彙（或是詞類）間關係的作法有許多好處：

- 產生的二元剖析樹，可以在不同的情況下，轉換為三元或是其他型態的剖析樹。以此觀點，甚至可以稱二元剖析樹為正規剖析樹結構（Canonical Tree Structure）。
- 只要擁有一份詞類標記的語料庫，就可以建構這樣的剖析程式。以此觀點，可以將其視為與語言無關的剖析技術。
- 不需要內建的語法規則（無論是定率式或是機率式），因此剖析的速度非常快。

現在的問題是如何度量詞類之間的「關係」。筆者將於下一節詳細討論這一個關鍵的問題。

第三節　詞類的關聯性

對於給定的詞類序列，$t_1, t_2, \ldots, t_{n-1}, t_n$，如果想要將這串詞類序列分成兩部份，如何決定這一刀要切在什麼地方？請考慮 t_i 與 t_{i+1} 之間的

第 i 個位置，假如這個位置是可能性最大的切分點，根據 Shannon 資訊理論的觀點（註 12），能夠在 t_i 後面出現的詞類數目以及後面能夠接 t_{i+1} 的詞類數目，相對地會比其他的詞類配對多。除此之外，t_i 與 t_{i+1} 共同出現的頻率也同樣相對地比較低。依照上面這些基本觀念，可以比較正式地使用數學式定義正向熵（Forward Entropy, FE）、逆向熵（Backward Entropy, BE）、以及共容資訊（Mutual Information, MI）。

定義一：正向熵（FE）。詞類 t_i 的正向熵為

$$FE(t_i) = -\sum_{t_j \in Tagset} P(t_j | t_i) \log P(t_j | t_i)$$

定義二：逆向熵（BE）。詞類 t_i 的逆向熵為

$$BE(t_i) = -\sum_{t_j \in Tagset} P(t_i | t_j) \log P(t_i | t_j)$$

這裡 *tagset* 表示使用的詞類標記集合，由於筆者使用 LOB Corpus，因此，也就是 134 個詞類標記。根據定義一與定義二，當可以在 t_i 後面出現的詞類數目以及後面可以接 t_{i+1} 的詞類數目越多時，也就是選擇性越大時，亂度越大，能量越高，正向熵與逆向熵也就越高。

定義三：共容資訊（MI）。詞類 t_i 與 t_j 的共容資訊為

$$MI(t_i, t_j) = \log \frac{P(t_j | t_i)}{P(t_j)} = \log \frac{P(t_i, t_j)}{P(t_i) P(t_j)}$$

共容資訊的意義是，當 t_i 與 t_j 經常一起在語料庫出現，聯合機率 $P(t_i,t_j)$ 會甚大於 $P(t_i) \times P(t_j)$，因此 $MI(t_i,t_j)$ 會甚大於 0；當 t_i 與 t_j 出現的方式是背道而馳時，$MI(t_i,t_j)$ 會甚小於 0；當彼此沒有什麼關係時（以機率論的術語而言，也就是互相獨立），因此 $P(t_i,t_j) \approx P(t_i) \times P(t_j)$，所以 $MI(t_i,t_j)$ 接近於 0。

定義四：切分度（Cuttability Measure, CM）。詞類 t_i 與 t_{i+1} 的切分度為

$$CM(t_i, t_{i+1}) = FE(t_i) + BE(t_{i+1}) + MI(t_i, t_{i+1})$$

根據定義四，詞類之間的切分度越高，表示這個位置越有可能被切開。也就是當接收一串詞類序列後，經過上述的計算程序，可以知道這些詞類相對的切分度高低。接著從切分度最高的位置開始分割，然後再由分成兩段的詞類序列中，選擇切分度最高的位置，進行切分的工作。依此程序，直到剩下兩個詞類標記爲止。筆者再以下面的例子仔細說明：

Jack_NP Young_NP is_BEZ also_RB a_AT doubtful_JJ starter_NN next_AP year_NN ._.

圖 5-3 表示的是這個句子的切分度。其中切分度最高的地方是 starter next 之間的位置，因此就由這個位置下第一刀，依序是 also 與 a 之間、Young 與 is 之間、is 與 also 之間、Jack 與 Young 之間、next 與 year 之間、doubtful 與 starter 之間、a 與 doubtful 之間的位置。因此相對的剖析樹爲 [[[[Jack_NP Young_NP] [is_BEZ also_RB]] [[a_AT doubtful_JJ] starter_NN]] [next_AP year_NN]]。在前面的討論中，可以發現，這種剖析技術所需要的訓練語料只是大量的詞類標記語料庫，而這一類型的語料庫是目前各種語言語料庫中，比較容易取得的資源。例如，LOB Corpus 擁有一百萬詞，經過標記的英國英語語料；Brown Corpus（註 13）擁有一百萬詞，經過標記的美國英語語料；我國中央研究院已經完成三百萬詞平衡式漢語標記語料庫。（註 14）下列的演算法表示整套剖析技術，演算法所需要的參數值 *FE*、*BE*、*MI*、或是 *CM*，可以由訓練語料庫統計取得。

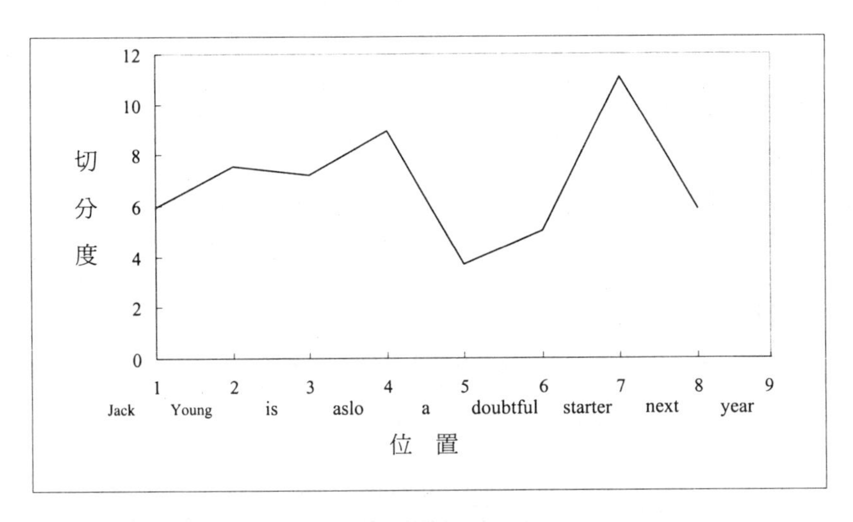

圖 5-3：範例的切分度圖示。

演算法： buildtree(W, T, i, j, *tree*)

Input: a given word sequence, W = $w1$, $w2$, ..., wn-1, wn, and its corresponding tag sequence, T = $t1$, $t2$, ..., tn-1, tn. I = 1; j = n.

Output: a binary parsing tree, *tree*.

If (i == j) tree= "wi_ti"

Else if (i == j-1) tree= "[wi_ti wj_tj]";

Else

$$\text{K} = \arg\max_{i \le l < j} CM(t_l, t_{l+1});$$

Buildtree(W, T, i, k, *ltree*);

Buildtree(W, T, k+1, j, *rtree*);

Tree= "[ltree rtree]";

Endif

第四節　如何評估剖析結果

筆者已經說明如何使用標記語料庫建構剖析程式，然而如何評估這樣的剖析方式到底是好還是壞？Black 在 1991 年提出了兩種評估準則（註 15），一為 PARSEVAL；另一為 Crossing。前者是比較嚴格的準則；後者卻是比較鬆的準則。下面是這兩種準則的定義。

定義五：PARSEVAL。

PARSEVAL 考慮兩個廣泛使用於資訊檢索的兩種評估方式：求準率（Precision）與求全率（Recall）。

$$\text{Precision} = \frac{\#\text{ of correct constituents}}{\#\text{ of produced constituents}}$$

$$\text{Recall} = \frac{\#\text{ of correct constituents}}{\#\text{ of constituents in treebank}}$$

例如，"the daring ugly dog barked at Mary"的正確剖析樹為[[the_AT [daring_JJ [ugly_JJ dog_NN]]] [barked_VBD [at_IN Mary_NP]]]，若剖析程式產生的剖析樹為[[the_AT [daring_JJ ugly_JJ]] [dog_NN [barked_VBD [at_IN Mary_NP]]]] and [[the_AT [daring_JJ [ugly_JJ dog_NN]]] [barked_VBD [at_IN Mary_NP]]]。正確剖析樹與產生剖析樹的語法成分都是六個，但是產生剖析樹與正確剖析樹相同的語法成分有兩個，也就是[at_IN Mary_NP]與[barked_VBD at_IN Mary_NP]，則求準率與求全率皆為 2/6 = 0.33 (33%)。

定義六：Crossing。

Crossing 是正確剖析樹與產生剖析樹之間不一致的語法成分的個數。

以前面的句子爲例，產生剖析樹的語法成分有 [at Mary], [barked at Mary], [dog barked at Mary], [daring ugly], [the daring ugly], 以及 [the daring ugly dog barked at Mary] 等六個；而正確剖析樹的語法成分有 [at Mary], [barked at Mary], [ugly dog], [daring ugly dog], [the daring ugly dog], 以及 [the daring ugly dog barked at Mary]。其中不一致的語法成分只有[dog barked at Mary]，而[daring ugly]包含於[daring ugly dog]，並不算是不一致的語法成分。因此，這個產生剖析樹的 Crossing 是 1。圖 5-4 比較清楚地描述 Crossing 的觀念。

一般而言，單獨計算 Crossing 的個數並不公平，因爲每一個句子的語法成分個數不一，產生的語法成分越多，則 Crossing 數目就越可能相對增多。比較好的方式是將語法成分的個數減去 Crossing 的個數後，再除以語法成分的個數，筆者稱之爲準確率（Accuracy）。依照這種計算方式，前述例子的準確率爲(5-1)/6=0.83=83%。事實上，這幾種評估準則都有各自的缺點，以前面的句子爲例，求全率與求準率爲 33%，但是 Crossing 卻爲 1，依此計算的準確率爲 83%，同樣的剖析樹應用不同的準則，然而結果高低相差太多，這表示這兩種方式並不是非常適合作爲這一類研究的評估準則。筆者正在構思其他的評估準則，將另文討論有關的想法。

表 5-1：語料庫的統計資料

	段落數	句子數	字數
LOB Corpus	18,678	54,297	1,157,481
SUSANNE Corpus	1,967	6,920	150,053

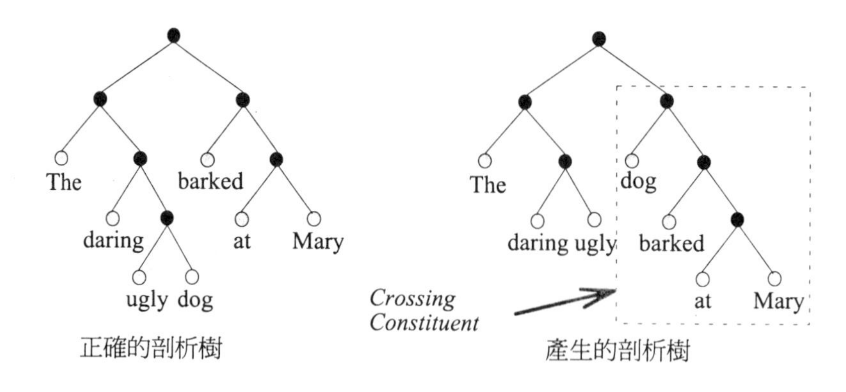

圖 5-4：語法成分的 Crossing

第五節　實驗的素材與結果分析

筆者使用 LOB Corpus 語料庫作爲訓練語料庫，而測試語料庫爲 SUSANNE Corpus（註 16），這兩個語料庫詳細的統計資料如表 5-1 所示。在前面已經介紹過 LOB Corpus，這裡不再贅述。SUSANNE Corpus 比較特別，SUSANNE 代表的是 Surface and Underlying Structural Analyses of Naturalistic English。其具有樹狀結構的訊息，也就是通稱的 Treebank。SUSANNE Corpus 的建構者 Sampson 博士取材 Brown Corpus 的 A 類（新聞報導）、G 類（書信、傳記、回憶錄）、J 類（學術論文）、與 N 類（歷險小說、西部小說）等不同類型的文章，加注剖析樹的資訊。正因爲 SUSANNE Corpus 是樹狀語料庫，可以作爲正確的答案和實驗的結果比對，所以筆者選擇該語料庫作爲測試語料庫。由於訓練語料庫與測試語料庫並不相同，這類型的實驗稱爲開放式測試（Open Test）。圖 5-5 是 SUSANNE Corpus 的部份語料，共分六欄分別代表索引標號、狀態、詞類標記、詞彙、詞彙原形、與剖析樹。（註 17）

索引標號	狀態	詞類標記	詞彙	詞彙原形	剖析樹
A01:0010a	-	YB	<minbrk>	-	[Oh.Oh]
A01:0010b	-	AT	The	the	[O[S[Nns:s.
A01:0010c	-	NP1s	Fulton	Fulton	[Nns.
A01:0010d	-	NNL1cb	County	county	.Nns]
A01:0010e	-	JJ	Grand	grand	.
A01:0010f	-	NN1c	Jury	jury	.Nns:s]
A01:0010g	-	vvdv	said	say	[Vd.Vd]
A01:0010h	-	NPD1	Friday	Friday	[Nns:t.Nns:t]
A01:0010i	-	AT1	anan		[Fn:o[Ns:s.
A01:0010j	-	NN1n	investigation	investigation	.
A01:0020a	-	IO	ofof		[Po.
A01:0020b	-	NP1t	Atlanta	Atlanta	[Ns[G[Nns.Nns]
A01:0020c	-	GG	+<apos>s	-	.G]
A01:0020d	-	JJ	recent	recent	.
A01:0020e	-	JJ	primary	primary	.
A01:0020f	-	NN1n	election	election	.Ns]Po]Ns:s]
A01:0020g	-	vvdv	produced	produce	[Vd.Vd]
A01:0020h	-	YIL	<ldquo>	-	.
A01:0020i	-	atn	+no	no	[Ns:o.
A01:0020j	-	NN1u	evidence	evidence	.
A01:0020k	-	YIR	+<rdquo>	-	.
A01:0020m	-	CST	that	that	[Fn.
A01:0030a	-	ddy	any	any	[Np:s.
A01:0030b	-	NN2	irregularities	irregularity	.Np:s]
A01:0030c	-	vvdv	took	take	[Vd.Vd]
A01:0030d	-	NNL1c	place	place	[Ns:o.Ns:o]Fn]Ns:o]Fn:o]S]
A01:0030e	-	YF	+.-		.O]

圖 5-5：SUSANNE Corpus 的部份語料

整個實驗程序如下所示：

- 抽取 SUSANNE Corpus 的每一個句子作為測試句；相對應的剖析樹作為標準答案。
- 根據右結合律將標準多元剖析樹轉換為二元剖析樹。
- 使用本章提出的剖析演算法剖析每一個測試句。
- 使用第四節提出的評估準則度量產生的剖析樹。

這裡另外要注意的是，SUSANNE Corpus 的詞類標記與 LOB Corpus 的詞類標記並不相同，還必須將 SUSANNE Corpus 使用的詞類標記轉換爲 LOB Corpus 的詞類標記。由於 SUSANNE Corpus 的詞類標記原本就是根據 LOB Corpus 的詞類標記修改的，所以這樣的轉換過程並沒有很大的困難。

首先檢視測試語料的句長分佈情形，圖 5-6 顯示大部份的句子長度爲 4 個字到 20 個字，但是最短爲 2 個字，最長有 109 個字。句子的型態變化相當懸殊，句長變化也很大。因此使用傳統的剖析程式，無法快速地剖析句子，不適用資訊檢索系統查詢的應用。

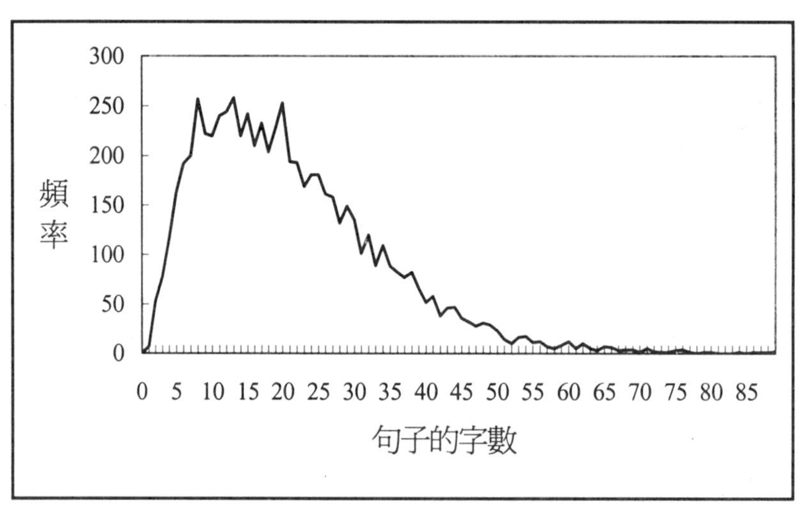

圖 5-6：測試語料庫句長分佈

實驗的結果展示於圖 5-7、圖 5-8、與圖 5-9。圖 5-7 表示的是剖析程式平均的 Crossing 個數；圖 5-8 是平均的準確率；圖 5-9 則是求全率與求準率。要注意的是，因爲本章提出的剖析程式產生的剖析樹是二元剖析樹，因此在定義五中的求準率與求全率的分母是相同的，所以求全率與求準率是完全一樣。比較圖 5-7 與圖 5-9，可再一次看到 PARSEVAL 與 Crossing 不同的表現行爲，這也回應筆者認爲有必要發展新的評估準則的看法。

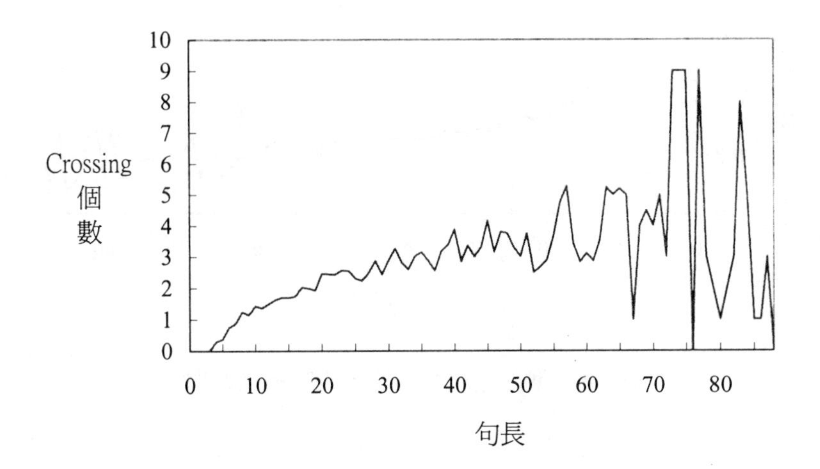

圖 5-7：測試語料平均的 Crossing 個數

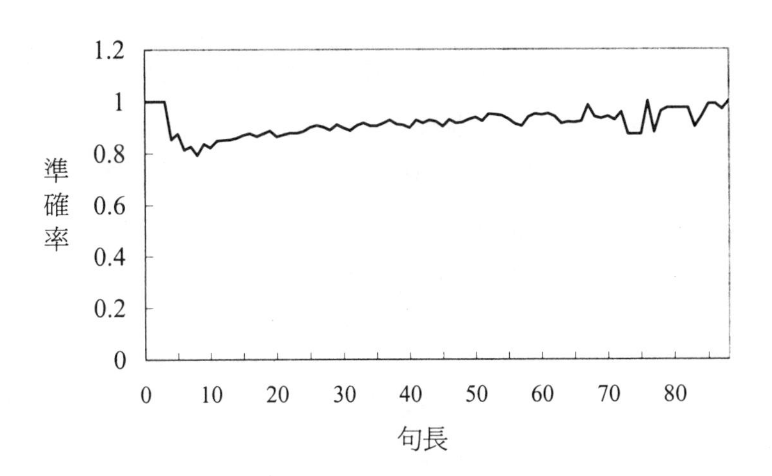

圖 5-8：測試語料平均的準確率

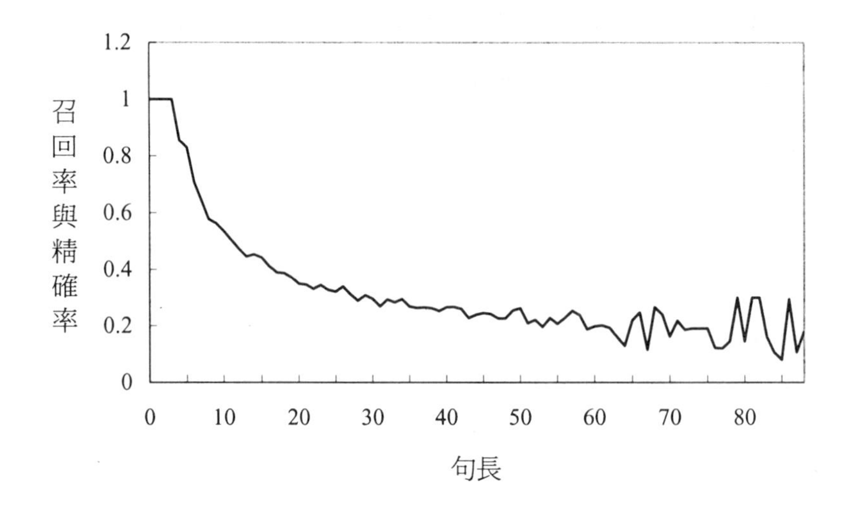

圖 5-9：測試語料平均的求全率與求準率

由於 4 個字到 20 個字的句子佔了絕大多數，筆者特別將這個句長範圍內的句子，進一步地分析剖析程式的效能。下面將以三種不同的句長範圍，分別是 4-40、4-25、以及 10-20 個字，觀察其平均表現行爲，結果列於表 5-2。剖析程式在 4-40 句長的範圍內有相當一致的表現，準確率平均爲 81%，求全率與求準率平均爲 33%。這說明本章提出的剖析技術頗值得信賴。另外還有一個重要的因素，也就是剖析時間，必須特別說明。實驗使用的電腦設備是 CPU 爲 SPARC-5、記憶體 32MB 的 Sun 相容工作站，剖析整個 SUSANNE Corpus 總共用了 3477.18 秒，平均每個句子使用 0.50 秒，平均每個字使用 0.02 秒。

表 5-2：部份實驗結果

句長	4 - 40	4 - 25	10 - 20
句子數目	5905	4373	2400
平均句長	19.09	14.71	15.02
平均 Crossing 數目	2.655	2.327	2.482
準確率	0.821	0.801	0.804
求全率（求準率）	0.319	0.355	0.316

第六節　可能的後續應用

本章提出的剖析技術，除了可以用於資訊檢索系統之外，一個重要的應用是作爲建構樹狀語料庫的輔助工具。筆者曾經提及 Sampson 博士建構 SUSANNE Corpus 用了相當長的時間以及許多的人力，才完成一份樹狀語料庫，這樣的問題同樣也發生於其他語言樹狀語料庫的建構過程。若是有一種剖析程式能夠將標記過的語料做初步的剖析，然後再交由語言專家做進一步的修正，可以有效地降低所需的人力與時間。

資訊檢索中有關索引項目的建立，有所謂的單詞索引（Single Term Index）以及片語索引（Phrase Term Index）。自動建構片語索引有賴對文件進一步的分析，本章的剖析技術可提供這方面的協助。甚至於雙語索引詞彙的自動建構，也可以使用這樣的剖析技術，筆者以下面的例子做個說明：

The daring ugly dog barked at Mary.

這 大膽 醜陋 的 狗 對著 瑪莉 吠叫。

圖 5-10 顯示片語之間的對應關係。若使用剖析程式分別處理中文與英文句子，然後使用片語層次的對列技術（Alignment Technology）（註

18）適當地處理雙語剖析樹，最後，抽取對應的片語結構，建立一部雙語術語對譯辭典。

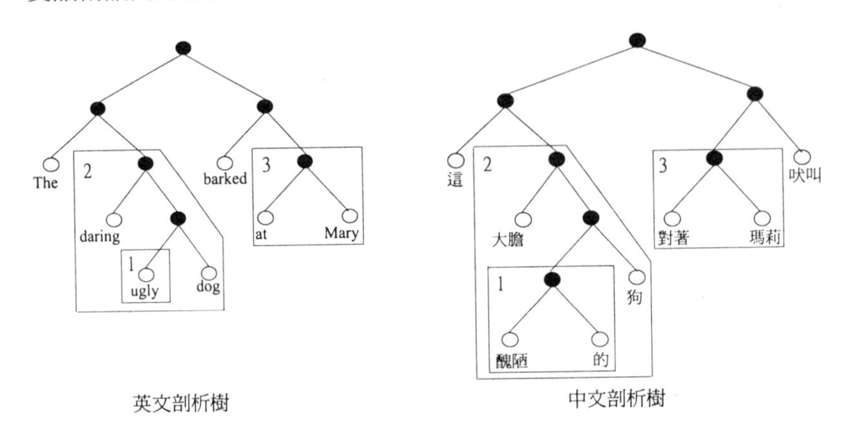

圖 5-10：中英文對應的剖析樹結構

第七節　結語與討論

資訊檢索系統的研究發展已經有很長的一段時間，各種的檢索模型與回饋機制也不斷推陳出新。但是，對於使用者而言，查詢的方式仍然是以關鍵詞為基礎的查詢（無論是受控制的抑或不受控制的）。目前風起雲湧的 WWW 風潮，將資訊檢索的需求推到前所未有的高峰，如果仔細探究目前 WWW 上提供的檢索系統（如 Alta Vista、Lycos、Excite 等等系統），在檢索技術上並沒有超越以往獨立的資訊檢索系統，只不過是換了一副誘人的面貌，增添了更多種媒體資訊，變成了開放的系統，並且加入了許多商業氣息罷了。

展望未來，自然語言仍然是人類最便於使用的溝通工具。因此利用自然語言作為資訊檢索系統的查詢方式，是無法避免的，尤其在語音輸入的技術達到實用的階段，這樣的需求將更形殷切。如何提供比目前樣式比對更好的技術，進一步地分析自然語言，無疑是一項重要的研究課題。本章企圖在這個研究方向作一個初步的嘗試。筆者提出的自然語言剖析技術，在自然語言理解的研究領域裡，只能算是最初步的分析；然而，對於資訊檢索的應用，這卻又算是比較高階的處理方式。因爲，能夠比較準確地分析重要的詞彙，提供詞彙之間的關係（主語、謂語或是賓語）。重要的是，建構本章提出的剖析程式，需要的資源並不多，只要擁有詞類標記的語料庫。而詞類標記語料庫是目前除了原始語料庫之外，最容易取得的語料庫。

本章使用 LOB Corpus 訓練建構剖析程式所需的統計參數，同時進行大規模的實驗，總共 6,920 句長短不一的語料（SUSANNE Corpus）用於實驗。結果顯示，這樣的剖析技術具有高度的穩定性（參見表 5-2），同時所需的處理時間不多，相當適用於資訊檢索系統的應用。筆者另外也討論到這樣的剖析技術其他有關的應用，其中最值得注意的是，可作爲標記語言庫轉換爲樹狀語料庫的前端處理系統（Frontend System），協助建構語料的樹狀結構，縮短發展樹狀語料庫所需的時間，並且減少所需的人力。這是一種良性循環的過程：當擁有更豐富的語料資源，可以發展更好的自然語言處理技術；新發展的技術又可以協助建構更好的語料庫。在這樣的循環過程中，逐漸逼近學術研究發展的目標。

註釋

註 1： 孔安國，尙書孔傳（台北市：新興書局，民國 66 年），頁 4。

註 2： 大眾書局編輯部，名家語錄（高雄市：大眾書局，民國 61 年），頁 158。

註 3： 國立編譯館主編，圖書館學與資訊科學大辭典（台北市：漢美，民國 84 年）， 頁 1515。

註 4： 基本上，語料庫是日常生活使用的語言，包括報紙、小說、文學作品等等的集合。至於要蒐集那類型的語言資料，端賴語料庫建構者的籌畫與爾後的使用方式。由收集的語言種類，語料庫可分爲單語語料庫、雙語語料庫、多語語料庫；以收集的方式，可分爲平衡式語料庫與非平衡式語料庫，也就是考量語料型態分佈的情形；由整理的方式，可分爲原始語料庫、標記語料庫、與樹狀語料庫。

註 5： Hindle, D., "User Manual for Fidditch, A Deterministic Parser," Naval Research Laboratory Technical Memorandum 7590-142, Naval Research Laboratory, Washington, D.C., 1983.

Chen, K.H. and Chen, H.H., "A Rule-Based and MT-Oriented Approach to Prepositional Phrases Attachment," Proceedings of the 16th International Conference for Computational Linguistics (COLING-96), 1996, pp. 166-171.

註 6： Jordan, P.W., "Using Terminological Knowledge Representation Languages to Manage Linguistic Resources," cmp-lg/9605024 (URL：http://xxx.lanl.gov/), 1996.

Agirre, E; Arregi, X; Artola, X; Diaz de Ilarraza, A. And Sarasola, K., "Lexical Knowledge Representation in an Intelligent Dictionary Help System," Proceedings of the 15th International Conference for Computational Linguistics (COLING-94), 1994, pp. 544-550.

Light, M. And Schubert, L., "Knowledge Representation for Lexical Semantics: Is Standard First Order Logic Enough?" cmp-lg/9412004 (URL：http://xxx.lanl.gov/), 1994.

註 7： Chen, K.H. and Chen, H.H., "Extracting Noun Phrases for Large-Scale Text Corpora: A Hybrid Approach and Its Automatic Evaluation," Proceedings of the 34th Annual Meeting of Association for Computational Linguistics (ACL-94), 1994, pp. 234-241.

Brill, E., "A Simple Rule-Based Part of Speech Tagger," Proceedings of the Third Conference on Applied Natural Language Processing, Trento, Italy, 1992, pp. 152-155.

Cutting, D.; Kupiec, J.; Pedersen, J and Sibun, P., "A Practical Part-of-Speech Tagger," Proceedings of the Third Conference on Applied Natural Language Processing, Trento, Italy, 1992, pp. 133-140.

Church, K., "A Stochastic Parts Program and Noun Phrase Parser for Unrestricted Text," Proceedings of the Second Conference on Applied Natural Language Processing, Austin, Texas, 1988, pp. 136-143.

註 8： Garside, R. And Leech, F., "A Probabilistic Parser," Proceedings of Second Conference of the European Chapter of the ACL, 1985, pp. 166-170.

Brill, E. And Marcus, M., "Automatically Acquiring Phrase Structure Using Distributional Analysis," Proceedings of the DARPA Conference on Speech and Natural Language, 1992, pp. 155-159.

Chen, H.H. and Lee, Y.S., "Development of a Partially Bracketed Corpus with Part-of-Speech Information Only," Proceedings of the Third Workshop on Very Large Corpora, 1995, pp. 162-172.

註 9： 這個例子取材於 SUSANNE Corpus 的第一個句子（標題）。本章使用的測試語料庫是以美國英語爲體裁的 SUSANNE

Corpus，所以筆者提及的例子也都是由 SUSANNE Corpus 摘錄的。我國中央研究院也已經推出漢語平衡語料庫，筆者也計畫於不久的將來使用這份語料庫從事相關的研究。

註 10： LOB Corpus 全名是 Lancaster-Oslo/Bergen Corpus，是由建構該語料庫的三所大學校名定名的。有關該語料庫詳細的說明可以參考 LOB Corpus 使用手冊：

Johansson, S., The Tagged LOB Corpus: Users' Manual, Bergen: Norwegian Computing Centre for the Humanities, 1986.

註 11： stop_VB 中的 VB 是 stop 的詞類標記，也就是原形動詞；而 VBG 表示動名詞；NN 表示單數普通名詞；NNS 表示複數普通名詞。

註 12： Shannon, C.E. and Weaver, W., The Mathematical Theory of Communication, University of Illinois Press, Urbana, IL, 1949.

註 13： Francis, N. And Kucera, H., Manual of Information to Accompany a Standard Sample of Present-day Edited American English, for Use with Digital Computers, Department of Linguistics, Brown University, Providence, R. I., U.S.A., original ed. 1964, revised 1971, revised and augmented 1979.

註 14： 詞庫小組，中央研究院漢語平衡語料庫的內容與說明，技術報告 95-02，(台北市：中央研究院資訊科學研究所，民國 84 年)。

註 15： Black, E. Et al., "A Procedure for Quantitatively Comparing the Syntactic Coverage of English Grammars," Proceedings of the Workshop on Speech and Natural Language, 1991, pp. 306-311.

註 16： Sampson, G., English for the Computer, Oxford University Press, 1995.

註 17： 圖 5-5 表示一個句子的有關資訊，而第六欄表示該詞彙在剖析樹中相對的位置（以「.」符號表示詞彙的位置）。因此，必須將第六欄整個串起來，才能夠瞭解剖析樹的結構。

註 18： 在進行句子剖析之前，必須先處理對應中英文句子的排列問題，而片語層次的對列問題，也是重要的研究課題。這方面有關的討論，請參見：

Chen, K.H. and Chen, H.H., "Aligning Bilingual Corpus: Especially for Language Pairs from Different Families," Information Science: An International Journal, 4(1995): 57-81.

Matsumoto, Y.; Ishimoto, H. And Utsuro, T., "Structural Matching of Parallel Texts," Proceedings of the 31st Annual Meeting of ACL, Ohio, USA, June 22-June 26, 1993, pp. 23-30.

第六章　文件摘要之產生

現今網際網路上的搜尋引擎通常給予使用者排序後的文件表列，部份的搜尋引擎則再加上簡短的文件描述，期望使用者藉此判斷文件的相關性。然而，這些描述性文字經常是過於簡短，或是未經過有效的文本模型處理，因此，通常無法提供足夠的訊息，甚或有誤導使用者的情形發生。在邁向新資訊時代的關鍵時刻，必須提供使用者更好的資訊服務，才能使其於浩瀚的電子文件中取得適切的資訊。本章將探討提供使用者適切資訊的服務策略，並將重點放在文件的自動摘要。文件摘要作爲原始文件的代表，一直是圖書館學領域重要的研究課題，於資訊檢索應用中加上文件摘要的服務，能讓使用者輕易地判斷文件的相關性，將是提高檢索效率的重要方法。

第一節　序論

對於生活於20世紀的人類而言，世界的變化是急遽又富挑戰性的。各種訊息傳遞技術的發明，使得資訊的傳遞速率越來越快，如今通訊與電腦技術的結合，網際網路的全球連線，更將人類的生活方式帶進前所未有的境地。例如，吾人可以透過網路連結各大圖書館，待在家裡就能夠查閱圖書館的館藏，一旦確認有需要的圖書，亦可線上預約；

若有電子版本，則更可以線上覽讀，將電子圖書館視為家中書房的延伸，足不出戶就能飽讀群書。

網際網路可說是世紀末超級的新興媒體，原本僅是學術上用於溝通訊息的通訊管道，經由 WWW 迷人的瀏覽介面，以新的面貌讓網路使用者更方便地使用網際網路。這種新型態的資訊載體展現超乎想像的功能，也讓普羅大眾體會了看不到、摸不到卻又無所不在的真實感受。網際網路發展到這樣的階段，事實上已經將媒體的掌握權解放了，任何人都可以將個人的意見或出版品放到網路上，而不再受制於出版商。在吾人實際使用網際網路幾年後，已經更能夠掌握它的特性，各種型態的資訊陸續出現，不同格式的資料亦推陳出新，使得網際網路呈現百家齊鳴的現象。

網際網路持續地蓬勃發展，因此，透過網路傳輸的資訊量越來越大，以往使用者苦惱於無法取得資訊，今日卻需面臨資訊爆炸的問題，而獲得有用資訊的代價也越來越高。如何協助讀者或是尋求資訊的人們有效率地取得有用的資訊，成為圖書館學與資訊科學研究領域中非常重要的課題。資訊檢索的相關研究已經進行很長的一段時間，早期在獨立而封閉的環境運作，今日則處於開放的環境，然而無論面對的環境如何改變，其協助讀者或使用者取得適用資訊的目標卻無二致。

本章討論新資訊時代應有的資訊服務，第二節說明目前網際網路提供的服務，及其不足之處。第三節討論一種更具訊息性的資訊服務 --自動摘要，並描述美國 TIPSTER 文件計畫相關的學術活動。第四節提出筆者使用的自動摘要模型，其中重要的考量因素為詞彙的關聯、句子的位置、以及線索詞彙的使用。第五節為上述模型的實驗結果說明。第六節則是簡短的結語。

第二節　網際網路服務

目前網際網路的服務大致可分爲遠端登錄（Telnet）、電子郵件（E-mail）、新聞討論群（Usenet）、全球資訊網（World Wide Web，簡稱 WWW）等，吾人可將上述服務視爲原生性服務（Primitive Services），提供吾人取得資訊的基本功能。其中 WWW 在 1993 年 Mosaic 瀏覽器推出後，迅速吸引學術界的眼光；再經由 Netscape 公司與 Microsoft 公司在瀏覽器市場的爭霸戰，加上商業體系的推波助瀾，WWW 的使用者迅速攀升，若參考相關的統計值，便可以獲得佐證。（註 1）

衡諸 WWW 的龐大使用群，各種建構於 WWW 的加值型服務應運而生，其中最受注目的是搜尋引擎（Search Engine）以及主題指引（Subject Directory）。透過搜尋引擎，使用者可以取得特定事件的相關資訊；透過主題指引，使用者可以取得相關主題的資訊。由於該類服務背後的商業利益相當龐大，新的搜尋引擎以及主題指引不斷推出，目前知名的業者如表 6-1 所示（註 2）。此外，特殊的搜尋引擎服務也陸續嶄露頭角，如 Bigfoot、Four11 等找人的服務，或是搜尋 E-mail 的服務。綜而言之，上述的加值型服務對於處於世紀末資訊浪潮的人們有相當大的貢獻，因爲其已經可以初步地過濾資訊，減少吾人的資訊負載。

雖然眾多搜尋引擎與主題指引已經提供吾人相當大的幫助，並且提供簡短的文件描述，然而檢索所得的文件仍然相當的多，而且這些描述通常無法判斷該文件是否爲相關，使用者必須連結檢索所得的文件，真正閱讀之後才能夠知道文件是否適用。這個情形造成的影響可以從兩個角度觀察：第一是吾人並沒有真正享受上述服務帶來的好處，很可能隨著文件的來來往往，卻沒有得到需要的文件，使心情越來越沮喪；第二是文件的來來往往，使得網路流量大增，卻又沒有達到實際的效用，造成網路不必要的負擔。

表 6-1：WWW 之加值型服務

	搜尋引擎	主題指引
國外	Altavista (http://altavista.digital.com/)	Yahoo (http://www.yahoo.com/)
	Lycos (http://www.lycos.com/)	Galaxy (http://www.galaxy.com/)
	Opentext (http://www.opentext.com/)	Planetsearch (http://www.planetsearch.com/)
	Northern Light (http://www.northernlight.com)	Startpoint (http://www.stpt.com/)
	Infoseek (http://info.infoseek.com/)	The WWW Virtual Library (http://vlib.stanford.edu/overview.html)
	Excite (http://www.excite.com/)	Magellan (http://www.mckinley.com/)
	Hotbot (http://www.hotbot.com/)	Deja News (http://www.dejanews.com/)
	Savvysearch (http://guaraldi.cs.colostate.edu:2000/)	
	Webcrawler (http://webcrawler.com/)	
國內	GAIS（蓋世）(http://gais.cs.ccu.edu.tw/)	Yam（蕃薯藤）(http://taiwan.ntu.edu.tw/)
	Whatsite（哇塞）(http://www.whatsite.com/)	奇摩站 (http://www.imo.com.tw/)
	聚寶盆 (http://spring.nii.nchc.gov.tw/Search/)	華淵資訊網 (http://www.sina.com.tw/)
	Openfind (http://www.openfind.com.tw/)	

在進入 21 世紀的關鍵時期，在 NII、GII、NGI 等口號震天價響的新資訊時代（註 3），享用更好的資訊服務，並非是過分的要求。是否有訊息性的資訊服務能讓吾人更有效地取得所需的資訊？筆者認為有兩個重要的研究目標：第一是資訊擷取（Information Extraction）；另一

則爲自動摘要（Automatic Summarization）。筆者在臺灣大學圖書館學刊第十二期已經發表有關資訊擷取的文章（註 4），在此不予贅述；本章將著重於自動摘要的相關研究。

第三節　文件摘要

輔仁大學蘇諼教授於中國圖書館學會會報第 56 期發表的文章「自動摘要法」指出，摘要具有以下的功能：（註 5）

- 宣示功能（Announcement）：宣示原始文件的存在性
- 篩檢功能（Screening）：判定原始文件的相關性
- 取代功能（Substitution）：取代原始文件
- 回溯功能（Retrospection）：查詢原始文件

至於摘要的類型則分爲指示性摘要、資料性摘要、評論性摘要、以及摘錄。（註 6）指示型摘要通常具有宣示功能與篩檢功能；資料性摘要主要是具有取代功能；評論性摘要則比較特殊，這類型摘要的自動化處理非常困難；摘錄則是直接抽取文件的句子，其功能則視情形而定，很可能具有宣示、篩檢、以及取代的功能。至於回溯功能則是四種類型摘要皆具有的功能。

顧名思義，摘要是文件的精緻版（Finer Version），亦即以較少的文字表述原始文件所欲傳達的訊息。所謂的較少文字，圖書館學與資訊科學大辭典對此做的解釋爲：「研究報告及專論，摘要宜少於 250 字，附錄及簡訊性質之資料，以 100 字爲佳，至於社論或讀者來函只需要一個句子即可，長篇論著，如：技術報告、學位論文，其摘要以一頁以內，且以 500 字爲限」。（註 7）因此，如何在有限的文字內表達原始文件的微言大義，便是從事摘要研究的學者專家必須面對的重要課題。

「自動摘要」則是以自動化的程序製作原始文件的精緻版。若從自動摘要模型的角度檢視所謂的自動摘要，可以分爲兩種作法：第一種可由文件中挑選適當的段落或句子構成摘要，亦即製作所謂的「摘錄」；第二種則可由分析原始文件的角度出發，抽取文件的「概念表意」（Conceptual Representation），再進行「摘要的產生」（Summary Generation）。這兩種作法各有其優缺點，基本上，第二種作法牽涉所謂「文件理解」的過程，若能夠真正達成所謂的「理解」，應該可以製作品質較高的摘要。然而對於網際網路的應用，筆者認爲時間是一個非常重要的限制條件，而理解通常必須花費相當長的時間，因此前述第二種作法比較不可行。但是若採用離線處理（Off-Line Processing）的方式，此法仍然是值得期待的，因爲它可以將自動摘要的流程模組化（Modularized），釐清造成摘要良莠的癥點。

在網際網路急遽發展的情況之下，文件的自動摘要逐漸受到學者專家的注意。在美國國防高等研究計畫機構（DARPA）TIPSTER 文件計畫的支持之下，於 1998 年首次舉辦自動文件摘要學術會議（Automatic Text Summarization Conference，簡稱 SUMMAC），廣邀世界各地相關的研究人員參與競賽。本次會議共有 21 個不同的研究團隊參加，美國地區以外的參賽團隊僅有英國、日本、以及臺灣，而臺灣地區僅有臺灣大學資訊工程學系陳信希教授與筆者組隊參賽。該項會議評比三種不同用途的文件摘要，第一種稱爲 Categorization Task；第二爲 Adhoc Task；第三爲 Q&A Task。

Categorization Task 的目標是評估自動摘要系統對於文件關鍵概念的掌握能力。參與競賽的團隊會取得大會準備的 500 篇文件，其中每 100

篇各與某一 Topic 相關，總共有五個不同的 Topic。必須稍加說明的是，這裡所稱的 Topic 並不是一般圖書資訊界認知的主題，而是對於資訊需求的描述，圖 6-1 是 Topic 的例子，而圖 6-2 則是 SUMMAC 要求參賽者製作摘要的原始文件。參賽的系統將製作完成的摘要送回大會，大會則聘請爲數甚多的評估人員閱讀摘要，並要求他們據以設定該摘要的屬於哪一個 Topic，如果無法決定則設定爲第六個 Topic。（註 8）大會接著依據評估人員的評估結果，計算參賽系統的績效。

Adhoc Task 的目標則是評估自動摘要系統是否能夠提供使用者找尋的資訊，是一種使用者導向（User-Directed）的文件摘要。大會提供參賽團隊 20 個 Topic，每一個 Topic 有 50 篇文章，共計 1000 篇文章，參賽的系統必須視 Topic 爲使用者資訊需求的描述，依據 Topic 建構每一文件的摘要。當大會接獲參賽者製作完成的文件摘要，評估人員必須閱讀每一篇摘要，並且判定摘要是否與 Topic 相關。（註 9）

參與前述兩類 Task 競賽的團隊，可以選擇製作定長摘要（Fixed-Length Summary）或最佳摘要（Best Summary），或是兩者皆予以製作。所謂定長摘要，其長度不可超過原文的 10%；最佳摘要則無限制。然而文件摘要的長度爲評比的項目，評估人員閱讀摘要的時間也是評比的項目，因此，過長的摘要是參賽團隊必須極力避免的。

Q&A Task 難度相對較高，SUMMAC 將 Q&A Task 產生的摘要假想爲撰寫報告過程中所需的資訊，亦即爲了撰寫有價值的報告，撰寫人員必須具有某些特定問題的相關資訊，因此若有一文件自動摘要系統能夠針對特定主題摘錄所有相關文件中的相關資訊，將有莫大的助益。顯然 SUMMAC 也知道這個競賽項目並不容易，因此聲明這個競賽項目仍處於初期設計的階段。筆者參與競賽的模組與結果如下述。

<top>

<head> Tipster Topic Description

<num> Number: 001

<dom> Domain: International Economics

<title> Topic: Antitrust Cases Pending

<desc> Description:

Document discusses a pending antitrust case.

<narr> Narrative:

To be relevant, a document will discuss a pending antitrust case and will identify the alleged violation as well as the government entity investigating the case. Identification of the industry and the companies involved is optional. The antitrust investigation must be a result of a complaint, NOT as part of a routine review.

<con> Concept(s):

1. Antitrust suit, antitrust objections, antitrust investigation, antitrust dispute

2. Monopoly, bid-rigging, illegal restraint of trade, insider trading, price-fixing

3. Acquisition, merger, takeover, buyout

4. Federal Trade Commission (FTC), Interstate Commerce Commission (ICC), Justice Department, U.S. Securities and Exchange Commission (SEC), Japanese Fair Trade Commission

5. NOT antitrust immunity

<fac> Factor(s):

<def> Definition(s):

Antitrust - Laws to protect trade and commerce from unlawful restraints and monopolies or unfair business practices.

Acquisition - The taking over by one company of a controlling interest in another, also called a takeover. The action may be friendly or unfriendly.

Merger - The acquisition by one corporation of the stock of another. The acquiring corporation then retires the other's stock and dissolves that corporation. Therefore, only one corporation retains its identity in a merger.

</top>

圖 6-1：SUMMAC 使用的 Topic

<DOC>

<DOCNO>WSJ911028-0008</DOCNO>

<DOCID>911028-0008.</DOCID>

<TEXT>

DALLAS -- Texas Utilities Co. Reported a $765.7 million loss for the third quarter, reflecting a $1 billion nonrecurring charge taken because regulators won't let it recoup certain costs associated with its Comanche Peak nuclear power plant.

The utility blamed the quarterly loss almost entirely on the $1.01 billion after-tax charge, which it in August announced that it would take at the close of the quarter. In addition, the company also said it was recording a nonrecurring, after-tax charge of $37 million for fuel costs

Disallowed by the commission order.

On a per-share basis, the utility's loss was $3.66. Revenue in the quarter was $1.45 billion. In the year-ago quarter, Texas Utilities reported net income of $344.7 million, or $1.77 a share, on revenue of $1.41 billion. Excluding the effect of the disallowances, the company said

Earnings for the third quarter would have been $1.35 a share.

The utility said the charge results from a disallowance in the rate order issued by the Public Utility Commission of Texas in August for the company's principal subsidiary, Texas Utilities Electric Co. The commission ruled that $472 million of the expenditures reviewed in the construction of the Comanche Peak nuclear plant were imprudently incurred in 87.8% of the plant. The commission ordered an additional

Disallowance of $909 million of the expenditures related to the repurchase of a 12.2% interest in the plant from former co-owners.

Texas Utilities Electric plans to appeal the commission order to state district court, the utility said.

In New York Stock Exchange composite trading Friday, Texas Utilities rose 37.5 cents to $38.25 a share.

</TEXT>

</DOC>

圖 6-2：典型的 SUMMAC 文件

第四節　自動摘要模型

有關自動摘要法的文獻探討，蘇諼教授發表的「自動摘要法」一文已有詳盡的討論（註 10），有興趣的讀者可以參閱該論文，本章不再贅述。本節將著重於筆者自己提出的自動摘要模型，筆者採取的作法是製作「摘錄」型摘要，亦即直接由文件擷取重要的句子，自動製作原始文件的摘要。

一般而言，組織完善、意念完整的文件，其名詞與名詞以及名詞與動詞的關係相當密切，模型的建構是基於下列的假設：

名詞與動詞共存於述語參數結構；而名詞間的關係是建構於言談層次。

欲自動建構文件摘要必須瞭解構成書面語的要素，也就是一般人撰寫文章的過程。文件是有生命的文字組合，並非是任意文字的交替出現，若能夠探究文字之間的關係，計算出哪些文字是文件的核心，如此可以大略知道作者的意念。因爲意念的表達是以詞爲單位，應該以詞彙的層次而非字與字之間的關係作爲建構文件模型的基礎。（註 11）筆者使用四種詞彙的統計值，如下所示：

- 詞彙的重要性
- 詞彙的重複性
- 詞彙的共現性
- 詞彙的距離

詞彙的重要性代表的是，當它出現於文件時，做爲作者意念核心的機會，也就是當讀者重建作者創作時的心智活動，由文件挑選適當詞彙做爲文件主題的機會。並不是所有的詞彙都一樣重要。例如，若是將文件中的冠詞、副詞、以及介系詞等詞彙刪除，仍然能夠知道這份文件的梗概，這說明了上述的詞彙並不十分重要。反之，名詞與動詞就十分重要了。詞彙的頻率常常可以代表某種程度的重要性，這種情形，尤以一般的資訊檢索系統爲最。然而，詞彙的重要性無法由 TF 完全顯示，因爲所謂的重要性是針對文件而言，並非詞彙本身重要與否。因此 IDF 才能代表詞彙對文件的重要程度。（註 12）當訓練語料的數量夠大時，IDF 值具有相當高的穩定性，可據以計算詞彙的重要性，IDF 可以使用下列的數學式計算求得。

$$IDF(w) = \log((P\text{-}O(w))/O(w)) \quad (1)$$

P 是某一文件集合的文件總數，$O(w)$是包含詞彙 w 的文件總數。當詞彙 w 出現於一半以上的文件，則其 IDF 小於等於 0，吾人可以認爲這個詞彙一點都不重要，對文件集合中的文件不具有鑑別性。

意念一致的文件資料，作者使用的詞彙必然趨向某一個語意範疇。從統計的觀點，這表示該語意範疇的詞彙一起出現的機率比較大。判斷那些詞彙屬於同樣的語意範疇是相當困難的工作，但是由大規模的語料庫計算詞彙的共現程度就很簡單。可以使用共容訊息（Mutual Information，簡稱 MI）計算詞彙的共現，其數學式分別如下所示：（註 13）

$$MI(t_i,t_j) = \log\frac{P(t_j \mid t_i)}{P(t_j)} = \log\frac{P(t_i,t_j)}{P(t_i)P(t_j)} \quad (2)$$

共容資訊的意義是，當詞彙 t_i 與詞彙 t_j 經常一起在語料庫出現，聯合機率 $P(t_i,t_j)$會甚大於 $P(t_i)\times P(t_j)$，因此 $MI(t_i,t_j)$會甚大於 0；當 t_i 與 t_j 出現的方式是背道而馳時，$MI(t_i,t_j)$會甚小於 0；當彼此沒有什麼關係時（以機率論的術語而言，也就是互相獨立），因此 $P(t_i,t_j) \cong P(t_i) \times P(t_j)$，所以 $MI(t_i,t_j)$ 接近於 0。

詞彙的位置也很重要。基於文件是有生命的文字組合的觀點，相關的詞彙其出現的距離必定不會太長。因爲，一旦相隔太遠，彼此之間的相乘效果就大打折扣，這不會是一般作者的用意。引入距離的因素，比較能夠忠實反應寫作的行爲。距離的計算可採用如下的方式，首先爲每一個名詞與動詞設定一個編號，以下面這一段文字爲例：

蘇聯$_{1}$ 許多 製造$_{2}$ 民生$_{3}$ 日用品$_{4}$ 的 工業$_{5}$ 得到$_{6}$ 政策性$_{7}$ 的 補貼$_{8}$，其 目的$_{9}$ 是 保持$_{10}$ 物價$_{11}$ 的 平穩$_{12}$。但 補貼$_{13}$ 勢 難 普及$_{14}$ 於 各行各業$_{15}$，因此 又 造成$_{16}$ 某 些 日用品$_{17}$ 不足$_{18}$ 或 完全 缺乏$_{19}$ 的 後遺症$_{20}$ 。 現在 既然 要 引進$_{21}$ 市場$_{22}$ 經濟$_{23}$，補貼$_{24}$ 政策$_{25}$ 又 勢 難 繼續$_{26}$，一旦，放棄$_{27}$，許多 民生$_{28}$ 物資$_{29}$ 的 價格$_{30}$ 必然 上漲$_{31}$，於是 又 引出$_{32}$ 民間$_{33}$ 屯積$_{34}$ 物資$_{35}$ 與 通貨膨脹$_{36}$ 的 壓力$_{37}$。

詞彙 X 與 Y 的距離 $D(X,Y)$ 可以用以下的方式計算：

$$D(X,Y) = \text{ABS}(C(X)-C(Y)) \tag{3}$$

ABS 爲絕對值函數，$C(X)$ 代表詞彙 X 的編號，如 C(政策性) = 7，而 C(目的) = 9，所以 D(政策性,目的) = 2。

綜合以上因素，計算名詞重要性的模型爲：

$$CS(n) = pn \times SNN(n) + pv \times SNV(n) \tag{4}$$

$CS(n)$ 爲名詞 n 的聯結強度（Connective Strength）；$SNV(n)$ 爲名詞 n 與其他動詞的強度；SNN 爲名詞 n 與其他名詞的強度；pn 與 pv 分別爲 SNN 與 SNV 的權重，可藉由消去內插法（Deleted Interpolation）計算。（註

14）$SNN(n)$與 $SNV(n)$的計算方式如下：

$$SNN(n_i) = \sum_j \frac{IDF(n_i) \times IDF(n_j) \times f(n_i, n_j)}{f(n_i) \times f(n_j) \times D(n_i, n_j)} \tag{5}$$

$$SNV(n_i) = \sum_j \frac{IDF(n_i) \times IDF(v_j) \times f(n_i, v_j)}{f(v_i) \times f(v_j) \times D(n_i, v_j)} \tag{6}$$

$F(w)$爲詞彙 w 的頻率，$f(w_i,w_j)$爲詞彙 w_i 與 w_j 共同出現的頻率；$D(w_i,w_j)$爲 w_i 與 w_j 之間的距離。可以看出整合了前述的四項考量因素，事實上，$f(w_i,w_j)/(f(w_i)\times f(w_j))$即爲計算詞彙共現的程度，與 MI 具有相同的型式，或許可稱之爲共容頻率（Mutual Frequency，簡稱 MF）。

一旦求得每一個名詞的聯結強度，便能夠進而得到每一個句子的重要性。假設某一個句子 s_i 有 m 個不同的名詞，該句子被摘錄的可能性度量，若以摘錄強度（Extraction Strength，簡稱 ES）稱之，可以用下列數學式度量：

$$ES(s_i) = \sum_{j=1}^{m} CS(n_{ij}) / m \tag{7}$$

文件的句子經由前述的方式可以排成有序集合（Ordered Set），文件的摘要就可以由該有序集合擷取數量適當的句子組成。若要製作 SUMMAC 所稱的定長摘要與最佳摘要，則可以設定一個門檻值（Threshold），刪除有序集合中摘錄強度小於門檻值的句子即構成最佳摘要，從最佳摘要再刪除部份的句子，使得有序集合中句子數小於原文的 10%即構成定長摘要。

純粹藉由文字間相互關係建構自動摘要的模型，到此可說是已經完成。然而，無論是從文獻的討論或是個人閱讀的經驗，吾人可以發現句子的位置事實上扮演重要的角色，而某些線索詞彙（Cue Word）

也具有舉足輕重的份量。因而若考慮這兩個因素可進一步修正數學式(7)爲：

$$ES(s_i) = w_1 \times \sum_{j=1}^{m} CS(n_{ij}) / m + w_2 \times POS(s_i) + w_3 \times CW(s_i) \quad (8)$$

(8)式中的 *POS* 爲句子 s_i 位置的度量；*CW* 爲線索詞彙的度量；w_1，w_2，w_3 則爲相對的權重。依據經驗法則（Heuristic Rule），文件的第一個段落與最後一個段落通常傳遞文件的重要訊息，而第一段與最後一段的第一個句子又特別重要。所謂的線索詞彙又分爲增益詞（Bonus Word）與損益詞（Stigma Word）（註 15），例如重要、顯著等爲增益詞；不可能、幾乎不等爲損益詞。（註 16）

第五節　實驗結果

筆者使用前述的模型處理 SUMMAC 大會提供的文件，實驗結果是由其評估人員以求全率（Recall）、求準率（Precision）、F-度量值（F-Measure）、與正規化 F-度量值（Normalized F-Measure）評估摘要的優劣。表 6-2 說明前述各項度量值的計算方式。爲了便於說明起見，筆者以 A.FSB、ANFB、AFSF、ANFF、CFSB、C.NFB、CFSF、CNFF 分別代表 Adhoc 最佳摘要的 F-度量值、Adhoc 最佳摘要的正規化 F-度量值、Adhoc 定長摘要的 F-度量值、Adhoc 定長摘要的正規化 F-度量值、Categorization 最佳摘要的 F-度量值、Categorization 最佳摘要的正規化 F-度量值、Categorization 定長摘要的 F-度量值、Categorization 定長摘要的正規化 F-度量值。表 6.3 記錄實驗的結果，圖 6-3 是以圖形的方式展現，更容易比較二者之實驗結果。

表 6-2：度量值的計算

	Given Answer by Assessors	
Real Answer	TP	FN
	FP	TN

TP : Decides relevant, relevant is correct = true positive

FP : Decides relevant, relevant is incorrect = false positive

FN : Decides irrelevant, relevant is correct = false negative

TN : Decides irrelevant, irrelevant is correct = true negative

Precision (P) = (TP/(TP+FP))

Recall (R) = (TP/TP+FN)

F-score (F) = (2*P*R/(P+R))

Compression (C) = (Summary Length/Full Text Length)

NormF = ((1-C)*F)

表 6.3：Adhoc 與 Categorization 之摘要實驗

A.FSB	F-Score Best summary	0.6090
A.NFB	NormF Best summary	0.4560
A.FSF	F-Score Fixed summary	0.4850
A.NFF	NormF Fixed summary	0.4470
C.FSB	F-Score Best summary	0.5085
C.NFB	NormF Best summary	0.4090
C.FSF	F-Score Fixed summary	0.4470
C.NFF	NormF Fixed summary	0.4023

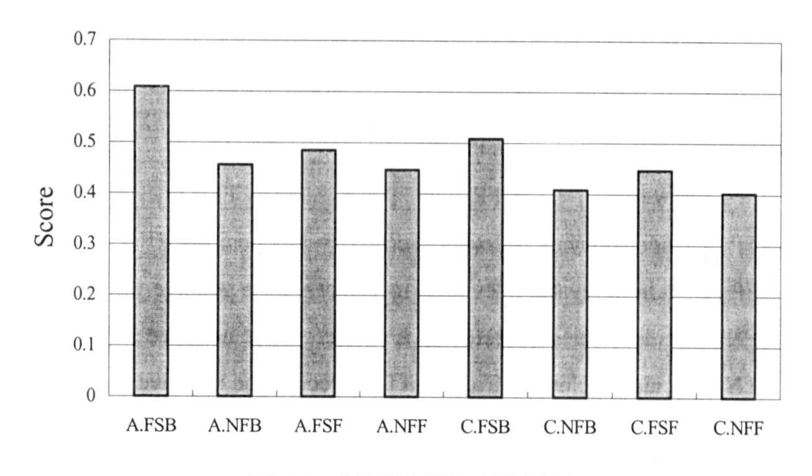

圖 6-3：摘要模型的實驗結果

A.NFB 與 A.NFF 分別為 0.456 與 0.447，而 C.NFB 與 C.NFF 則為 0.409 與 0.402，雖然 Adhoc 的實驗結果比 Categorization 好，但是整體而言，並沒有超越 0.5，仍然有許多改善的空間。

第六節　結論

「知識就是力量」這句話精確又殘酷地說明目前世界文明發展的情形，網際網路加速了資訊的流通，縮短了資訊形成知識所需要的時間。然而網際網路膨脹地過於快速，資訊累積太快造成雜訊過多的結果，卻又干擾了知識的形成。網際網路的各類加值型服務業者遂為處於世紀末的人們提供搜尋引擎與主題指引以及其他特殊的服務，希望讓網際網路使用者能夠有效地檢索文件與取得資訊。在即將邁入下一個世紀的當口，應該提供怎樣的新服務，讓使用者更容易判斷文件的相關性，應是資訊檢索研究人員必須注意的課題。

本章認為文件摘要將是新資訊時代一種重要的訊息性資訊服務，

對於網際網路使用者而言，可以透過文件摘要快速地判讀文件的相關性，而不必取得完整文件之後才發覺文件根本不符合需求；此外，文件摘要的服務也能夠有效降低網際網路的流量。對於文件的使用者與整體網際網路環境，文件摘要都是值得期待的服務。雖然，人工製作文件摘要具有高品質的特性，但是緩不濟急，審視網際網路文件數量極爲龐大的事實，自動化的文件摘要是無法避免的作法。本章提出一個可能的作法，該模型建構於詞彙的重要性、詞彙的重複性、詞彙的共現性、詞彙的距離等四項文件文字之間的要素，並且考慮文件中句子的位置以及線索詞彙。然而，爲了因應網際網路的特性，該模型仍有待進一步的實驗與修正，以適應各種不同類型的文件，並且必須更加縮短所需要的計算時間。

註釋

註 1： 請參考「蕃薯藤第二次台灣網際網路使用調查。」（URL:http://taiwan.yam.org.tw/survey/survey97/）。

註 2： 目前部份的搜尋引擎業者整合了主題指引的功能；而部份的主題指引業者也整合了搜尋引擎的功能。

註 3： NII 爲 National Information Infrastructure 的縮寫，GII 爲 Global Information Infrastructure，NGI 則爲 Next Generation Internet。

註 4： 陳光華，「資訊的組織與擷取」，臺灣大學圖書館學刊第十二期（民國 86 年 12 月），頁 127-141。

註 5： 蘇諼，「自動摘要法」，中國圖書館學會會報第 56 期（民國 85 年 6 月），頁 41-47。

註 6： 同註 5。

註 7： 國立編譯館主編，圖書館學與資訊科學大辭典（台北市：漢美，民國 84 年），頁 2002。

註 8： 此時評估人員並不知道文件的 Topic 為何，他們必須就摘要本身判定文件究竟屬於哪一個 Topic。

註 9： 此時評估人員已經知道文件的 Topic，他們必須判定摘要與 Topic 的相關性。

註 10： 同註 5。

註 11： 筆者亦使用該模型部份子系統處理文件的主題辨識，細節請參閱下列文章。

陳光華，「電子文獻主題之自動辨識」，中國圖書館學會會報第 59 期（民國 86 年 12 月），頁 43-58。

註 12： Sparck Jones, K. "A Statistical Interpretation of Term Specificity and Its Application in Retrieval." Journal of Documentation, 28.1 (1972): 11-21.

註 13： Church, K.W., and P. Hanks. "Word Association Norms, Mutual Information, and Lexicography." Computational Linguistics,16.1 (1990): 22-29.

註 14： Jelinek, F. Markov. "Source Modeling of Text Generation." Ed. J.K. Skwirzynski. The Impact of Processing Techniques on Communication, Nijhoff, Dordrecht, The Netherlands, 1985.

註 15： Edmundson, H.P. "New Methods in Automatic Extracting." Journal of Association for Computing Machinery, 16.2 (1968): 264-285.

註 16： 依據中華民國斷詞標準，「不可能」應該是「不」及「可能」兩個詞，然而在某些應用時，有時可能會將之合併，本章所指稱的增益詞或損益詞亦可能有這種情形。若要更精確地區別，可以說增益詞或損益詞也可能是複合詞。

第七章　資訊檢索之藩籬

資訊檢索研究的目的在解決人類對於資訊的需求，發展至今不斷地消除一道道的資訊藩籬。隨著電腦網路的普及，網際網路快速地深入世界的每一個角落，普羅大眾對於「地球村」觀念感同身受的同時，語言的藩籬變得具體而殘酷，使用者很難檢索「不同文」的文獻資料。本章說明資訊檢索的語言藩籬，討論目前語言技術用於處理語言藩籬的可能方案，並且比較現有超越語言藩籬的資訊檢索系統與傳統資訊檢索系統之間的系統績效。

第一節　序論

圖書館一直扮演知識寶藏的角色，盡力地蒐羅圖書資料，而長久以來充實館藏也是圖書館重要的政策。（註 1）然而，若是讀者無法得知有哪些館藏是符合其需求，則再多的館藏對其而言，仍然是沒有使用的價值。所以，圖書館一方面依據政策與文獻計量的原則擴充或淘汰無用館藏，另一方面也必須發展圖書資料的組織與整理的分式，並使用某種有效的檢索方式協助讀者取用資訊。

前述的組織與整理正展示於圖書館學發展過程中幾個重要的里程碑，如杜威分類法（DDC）、美國國會分類法（LLC）、美國國會標題表（LCSH）、中文圖書標題表、機讀編目格式（Machine Readable Catalog，簡稱 MARC）、英美編目規則（AACR2），與衍生的中國機讀編目格式（Chinese MARC）、中國編目規則等。不同的分類法、標題表以相異的切入角度描述圖書資訊的主題編目（Subject Catalog），而編目規則規範如何進行圖書資訊的記述編目（Descriptive Catalog）；MARC 則記錄著主題編目與記述編目的資料。

早期的讀者使用卡片目錄檢索圖書資料，透過著者卡、題名卡、標題卡提供不同的檢索點（Access Point），滿足讀者各式各樣的資訊需求。圖書館學的學者專家很快地發現前述的方式無法與圖書館其他的作業整合，造成許多重複的作業以及人力的浪費，同時卡片目錄越來越龐大，也很難整理並維護，成本也太高；對讀者而言，使用卡片檢索圖書同樣也非常的不方便，必須先決定要檢索著者、題名、抑或是標題，然後在相應的卡片櫃找尋描述所需圖書的卡片。為了整合圖書館的作業流程並解決前述的問題，圖書館自動化系統便應運而生，使吾人超越了第一道資訊檢索的藩籬。

採用自動化系統的圖書館，讀者或是使用者只要坐在終端機之前，透過電腦檢索系統，依照各種不同的檢索需求，使用系統提供的檢索點，不必遊走於各個卡片櫃，就能夠瞭解圖書館典藏的圖書是否符合其資訊需求。館員也能夠透過自動化系統，使圖書館的流通作業、編目作業、採訪作業更有效率，提昇整體的服務品質。然而第二道藩籬卻依然豎立於前方等待吾人克服。

當讀者有某種資訊需求時，必須前往圖書館，然後透過檢索系統檢索館藏是否能滿足其需求。然而，當其到達圖書館使用檢索系統後，才發現該館並沒有收藏其所需要的圖書，造成讀者白跑一趟，浪費寶貴的時間與精力，此時橫亙在前的是實際距離的藩籬。當電腦網路出現後，基本上提供吾人消除距離造成的資訊藩籬的工具。讀者可以在家裡或是任何有網路連線的地方檢索圖書資料，並且可以線上預約。更重要的是，透過電腦網路讀者可以翻山越嶺、飄洋過海，檢索全世界的圖書館或資料中心。從讀者或是使用者的觀點而言，網路世界的圖書館好似一個龐大的聯合圖書館，能夠檢索所有現存的線上圖書資料，有效擴展吾人的視野。然而，這時讀者赫然發現另一道藩籬又出現了，這是當吾人放眼全球時，必然會面對的藩籬--語言的藩籬。

這道藩籬事實上早已存在，只是以往並不明顯，因爲圖書館外文圖書的使用者通常爲較高級的知識份子，他們在使用這一類圖書時並沒有困難。但是隨著電腦網路逐漸地全民化與商業化，解決這道藩籬的需求越來越急迫，這也是目前全球各地的圖書館學、資訊科學、電腦科學各相關領域的學者專家投入大量研究經費與人力，從事這項重要研究課題的原因。(註 2)

本章主要討論的是如何消除第三道藩籬，亦即是語言的藩籬，筆者將說明語言藩籬的屬性，解決方案的初步架構，第三節之後比較詳細地討論各種策略的作法與其優缺點。第六節則是簡要的結語。

第二節　跨語資訊檢索

跨語資訊檢索（Cross-Language Information Retrieval, Translingual Information Retrieval，簡稱 CLIR 或 TIR）(註 3) 研究的目的即在消除因語言的差異而導致資訊取得的困難。至於何謂跨語資訊檢索，有學者以"Select information in one language based on queries in another"作爲 CLIR 的定義，翻成中文則爲：「使用不同於書面語的查詢語言進行

資訊的檢索」。希望設定明確的界線，便於學者專家的討論。（註 4）

既然牽涉兩種以上的語言，並且限定是以不同的查詢語言檢索圖書資料，因此查詢與圖書資料兩者之一必須進行翻譯，如此查詢問句與圖書資料就屬於同一種語言，之後的處理方式和單語資訊檢索相同。依據前述的作法，吾人可以消除檢索時語言的藩籬，然而使用者閱讀檢索所得之圖書資料時的語言藩籬仍然存在，如果要完全消除語言的藩籬，顯然還是必須引入機器翻譯系統，將檢索所得的圖書資料翻譯爲使用者或讀者所能閱讀的語言。

機器翻譯是極具挑戰的研究領域，對於一般人而言，要真正理解一段文字事實上就不是簡單的工作，遑論使用機器進行翻譯。因爲這牽涉到字（Character）、詞（Word）、語法（Syntax）、語義（Semantics）、語用（Pragmatics）等層次的知識。例如如何處理未知詞，介詞組的修飾對象爲何，多義詞彙的詞義如何決定，照應詞如何處理等等。基本上，幾乎所有自然語言的現象都得到一個妥善的解決方案時，才能夠建構一套優秀的機器翻譯系統。（註 5）日本政府曾經詳細評估，以目前日本的科技水準與發展的情形，約在 2020 年才可能有一套商業運轉且績效良好的日英機器翻譯系統。然而如果跨語資訊檢索系統是使用於特定的領域，則使用機器翻譯系統會有比較好的成效，這是因爲特定領域的自然語言趨於一定的使用方式，比較容易處理。

另一個觀點是將機器翻譯當作輔助的工具，一旦檢索所得的圖書資料翻譯爲使用者熟悉的語言之後，即使翻譯品質不佳，使用者仍然可以判斷圖書資料的相關性，如果有必要，則再進一步仔細閱讀圖書資料，或是請人潤飾譯稿。這一類的應用以目前全球資訊網（World Wide Web，簡稱 WWW）的文件檢索最爲風行，台灣大學資訊工程學研究

所自然語言處理實驗室目前也提供這項服務。(註 6)

一般而言，跨語資訊檢索面臨的問題如下所示：

- 必須翻譯使用者下達的查詢或是檢索的文獻。
  查詢的問句通常都很短，以美國的研究爲例，通常少於 2 個詞，不會超過 4 個詞（註 7)。因此很難判定詞義。
- 查詢問句中的詞彙通常都有歧義性（Ambiguity)。
  查詢問句可能必須先斷詞（Segmentation)，如中文、日文等等。
  檢索的文獻可能使用不同的語言，必須先辨識語言（Language Identification)。

目前用於處理跨語資訊檢索的相關技術可以分門別類如圖 7-1 所示，主要可分爲翻譯查詢問句與翻譯文件兩類，至於不翻譯的情形則不屬於本章討論的範圍。

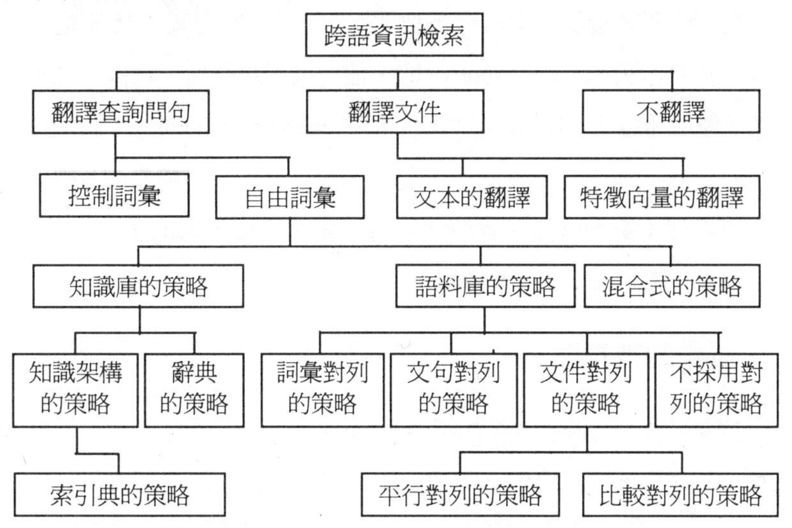

圖 7-1：跨語資訊檢索的相關技術 （註 8）

翻譯文件的作法所需的處理時間隨文件的不同而有極大的差異，而且計算量過於龐大，極少有系統採用這種作法。比較實際而且主流的作法是遵循「翻譯查詢問句」（Query Translation）的研究路線。在翻譯查詢問句的範疇之下，目前可能的策略有：知識庫的策略、語料庫的策略、以及混合知識庫與語料庫式的策略。

本章以下的數節將依據圖 7-1 說明目前跨語資訊檢索的研究狀況，主要描述辭典爲本（Dictionary-Based）、索引典爲本（Thesaurus-Based）以及語料庫爲本（Corpus-Based）的策略，討論使用的技術及其優缺點，並且提供現有跨語資訊檢索系統績效的數據，供有興趣的讀者參考。（註9）

第三節　辭典爲本的策略

初期的跨語資訊檢索研究多數採用辭典爲本的策略，因爲這是最直接了當的作法（Naïve Approach），任何人都想得到，其作法是利用一部雙語機讀辭典（Bilingual Machine Readable Dictionary）將使用者下達的 S 語言查詢詞彙轉換爲 T 語言詞彙。然而，這種作法有幾個問題必須處理：第一是如何處理詞彙的歧義性（Ambiguity）；第二是如何處理未知詞（Unknown Word）。

一、詞彙的歧義性

詞彙通常都有歧義性，如英文的 Bank 有銀行的意思，也有河岸的意思，到底是什麼意思則必須由前後文決定。初期的跨語資訊檢索研究都沒有真正地處理這個問題，主要的因素是處理時間過長，影響使用者檢索的意願。因此替代的作法有如下幾種：

- 選擇排列第一的意義（Select First）
- 採用這種作法的學者認爲辭典中詞彙的第一個意義通常是最常用的，因而直接取用第一個意義。
- 選擇所有的意義（Select All）
- 因爲無法判斷到底意義爲何，所以所有的意義都視爲詞彙的意義。因而查詢問句中每一個 S 詞彙可能被數個 T 詞彙取代，轉換後的查詢問句相對地變得很大。
- 任選 N 個意義（Select N Randomly）
- 因爲選擇所有可能的意義造成轉換後的查詢問句變得太大，修正的作法是任選 N 個意義以控制查詢問句的任意膨脹。
- 選擇最佳 N 個意義（Select Best N）
- 採用任意選擇的方式並不具有說服力，因而部份學者利用語料庫計算詞彙不同意義出現的頻率，然後選擇頻率最高的 N 個。這種作法使用了語料庫，也可視爲混合式的作法，然而最終的意義是由辭典取得，因此本章將其列爲辭典爲本的策略。

採用辭典爲本策略的跨語資訊檢索系統，其檢索成果的求準率（Precision）大約爲原來單語資訊檢索系統的 40-60%。如 Hull 與 Grefenstette 在 1996 年的實驗採用 Select All 的策略，結果顯示由 0.393 降爲 0.235（註 10）；Davis 在 1996 年的實驗也是採用 Select All 的策略，實驗的結果顯示求準率由 0.290 降爲 0.142（註 11）；Ballesteros 與 Croft 於 1996 年的實驗採用 Select N Randomly 的策略，平均求準率降低 50-60%（註 12）；Davis 另外也做了 Select N Best 的實驗，由 0.290 降低爲 0.195。（註 13）辭典爲本的作法，最大的問題在於無法有效處理詞組（Phrase Terms），導致檢索的求準率偏低，Ballesteros 與 Croft

在 1997 年針對詞組對於跨語資訊檢索的影響作了評估，其實驗結果顯示：如果詞組能夠正確地翻譯，可以有效提昇檢索的求準率達 150.3%；若無法正確地翻譯則會降低檢索的求準率達 39.3%。（註 14）因而，有效而正確地轉換詞組將是跨語資訊檢索重要的研究課題。

二、未知詞的處理

未知詞一直是自然語言處理的大問題，由於辭典爲本的策略是以系統的辭典做爲詞彙判斷的依據，因此所謂的未知詞可分爲幾種情形：

- **詞彙正確但辭典並未收錄**

  因爲辭典不可能完全收錄所有的詞彙，而且隨著時間的推演，新的詞彙不斷的出現，所以未知詞情形也不可能完全消除。

- **專有名詞（人名、地名、機構名）**

  人名、地名等專有名詞也是一直困擾著資訊檢索與自然語言處理的學者專家，這些專有名詞不可能全然收錄，所以如何利用語境判斷詞彙的意義就成爲重要的研究課題。訊息理解會議（Message Understanding Conference，簡稱 MUC）也知道專有名詞的重要性，因而歷年的會議都將資訊檢索系統辨識專有名詞的正確率作爲評估系統的一項依據。（註 15）

- **詞彙錯誤**

  如果全然是拼字錯誤或用詞錯誤是無法檢索所需的圖書資料。但是，事實上使用者仍然希望能夠檢索出相關的文件，因此模糊處理（Fuzzy Processing）也就成爲這類系統必須採用的處理技術。在這種情形之下，檢索系統必須判斷是否是詞彙錯誤還是未知詞，如果是詞彙錯誤可以使用最近似的正確詞彙取代原來的詞彙，然後再進行檢索。

第四節　索引典爲本的策略

以目前實際運作的跨語資訊系統而言，多數是使用索引典爲本的作法，（註 16）索引典提供控制詞彙用以索引文獻資料，不同語言的文獻資料使用各自的索引典，而各索引典之間有對映的關係，透過這種對映關係實現跨語資訊檢索，參見圖 7-2。採用索引典的最大難題是，爲文獻資料設定索引詞彙需要大量的人力與時間，且建構一部高品質的索引典不是一件容易的事；此外，不同語言索引典之間的對映並非直接了當。索引典可視爲組織知識的階層架構，歐洲共同體資助的 EuroWordNet（EWN）計畫（註 17），其目的即希望發展多語言（義大利語、荷蘭語、西班牙與、英語）的概念知識庫，吾人亦可視之爲多語索引典。

從使用者的角度而言，採用索引典索引文獻資料有另一個難題。索引典內的詞彙通常稱之爲控制詞彙（Controlled Vocabulary），使用者一般並不知道何者是控制詞彙，造成無法有效檢索文獻資料。因此，還必須輔以檢索詞彙與索引詞彙的轉換介面，從而解決上述的問題。

Salton 曾做過跨語資訊檢索的實驗，結論是只要仔細地建構雙語索引典，跨語資訊檢索系統就能夠達到單語資訊檢索系統的系統績效。（註 18）雖然「典型在夙昔」，然而目前網際網路發展的情況畢竟不同於當時 Salton 做實驗時的環境，期望跨語資訊檢索系統能夠擁有單語資訊檢索系統的成效，必須投入更多的研究心力，且還有很長的一段路要走。

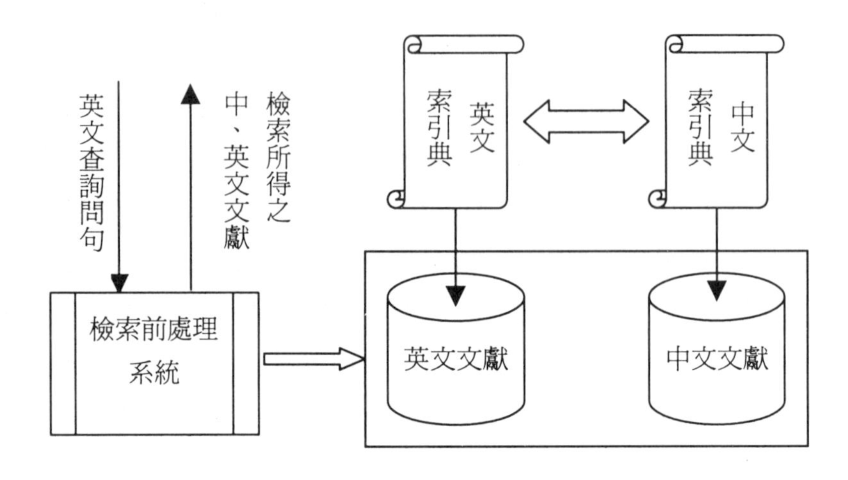

圖 7-2：索引典架構之跨語資訊檢索

第五節　語料庫爲本的策略

基本上，語料庫爲本的技術是希望由大量的語言素材抽取語言知識，而跨語資訊檢索需要的語言知識正如其表面文字所描述的，必須透過兩種以上的語言素材，運用知識擷取的技術，取得跨語資訊檢索系統所需的跨語言知識，如詞彙的對照、專有名詞的對譯、詞組的轉換，甚而詞彙的重排。由於系統建構者運用的技術不同，造成所需知識的層次（Granularity）亦有所不同，一般可以分爲詞彙（Word）、詞組（Phrase）、句子（Sentence）、文件（Document）等層次。以下分別說明各個層次必須處理的問題。

詞彙層次的處理亦即是希望建構跨語詞彙對照表，並且進一步統計詞彙對照的機率。複雜的系統甚至考慮語境（Context）的參數，以能夠更加精確地轉換詞彙。基本的作法說明如下，蒐集大量的雙語語料（其中一種語言稱之爲 S 語言，另一語言稱之爲 T 語言），並且對列

（Align）雙語語料的句子（亦即 S 語言的句子與 T 語言的句子一一對應），接著採用統計技術，計算 S 語言詞彙與 T 語言詞彙的對應關係。圖 7-3 說明詞彙對照的產生方式，以及如何運用於跨語資訊檢索系統。

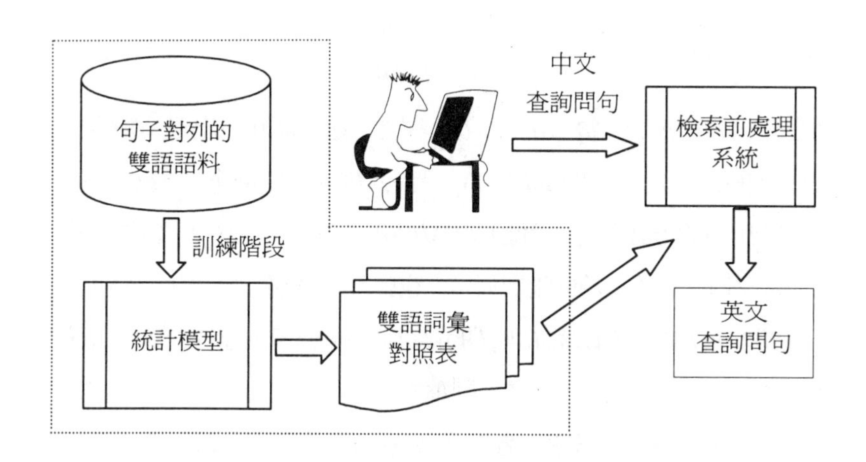

圖 7-3：詞彙層次的跨語資訊檢索系統

這一類系統採用的統計模型有許多種不同的作法，以下筆者將說明一種最基本的作法。以 S 以及 T 分別代表兩種不同的語言，SS 與 TS 則分別代表雙語語料不同語言的句子，SW 與 TW 代表不同語言的詞彙。假設雙語語料庫已經在句子層次對列完成，因此 SS_1 對應 TS_1、SS_2 對應 TS_2、ss_i 對應 ts_i、…、ss_n 對應 ts_n。若 ss_i 句子包含詞彙 sw_{i1}、sw_{i2}、…、sw_{ij}、…、sw_{im}，而且 ts_i 句子則包含 tw_{i1}、tw_{i2}、…、tw_{ik}、…、tw_{il}。基於該兩個句子對列的事實，可以認為這兩個句子中的詞彙應具有對譯的情形，然而目前卻不知道哪些詞彙是互相對譯的。吾人可假設 ss_i 的詞彙與 ts_i 的詞彙都可能對譯，亦即 sw_{i1} 與 tw_{i1}、tw_{i2}、…、tw_{ik}、…、tw_{il} 都具有對譯的情形，可以記錄為（sw_{i1}, tw_{i1}），（sw_{i1}, tw_{i2}），…，（sw_{i1}, tw_{il}），也就是共同出現過一次，對於 sw_{i2}、…、sw_{ij}、…、sw_{im} 也做同樣的處理。如果雙語語料的數量夠大的話，吾人有理由相信，經過上述的處理，真正對譯的詞彙，其（sw_{ij}, tw_{ik}）出現的次數一定最大，可以採用共容資訊（Mutual Information，簡稱 MI）計算詞彙對譯的強度。（註 19）MI 的數學式如下所示：

$$MI(SW,TW) = \log \frac{P(SW,TW)}{P(SW) \times P(TW)}$$

共容資訊的意義是，當 SW 與 TW 經常一起在語料庫出現，聯合機率 $P(SW,TW)$會甚大於 $P(SW)\times P(TW)$，因此 $MI(SW,TW)$會甚大於 0；當 SW 與 TW 出現的方式是背道而馳時，$MI(SW,TW)$會甚小於 0；當彼此沒有什麼關係時（以機率論的術語而言，也就是互相獨立），因此 $P(SW,TW) \approx P(SW)\times P(TW)$，所以 $MI(SW,TW)$接近於 0。經過上述的計算方式，當共容資訊甚大於 0，可得知該二詞彙對譯的可能性極大，吾人可據以建構一張詞彙對照表。當使用者下達 S 語言的查詢問句時，系統可以參考詞彙對照表，將 S 語言的詞彙轉換爲 T 語言的詞彙，然後再依照傳統資訊檢索系統的作法進行資訊檢索的工作。

詞組層次的處理和詞彙層次大致相同，但是在進行跨語對列處理之前，單一語言必須先行各自處理詞組的辨識（Phrase Identification）或是複合詞的辨識（Compound Identification），然後將詞組與複合詞視爲一般的詞彙，再進行詞彙的對列。當然也可以直接進行詞組的對列，但這會使計算的複雜度相對變高，造成詞組的對列困難許多。在此筆者將簡要說明如何辨識詞組或是複合詞。

所謂的複合詞是指連續的詞彙組合而成，雖然詞組可能由分隔的詞彙組成，但是筆者在這裡不討論這種情形，因此可以將複合詞與詞組一併討論。屬於複合詞的詞彙一起出現於語料的情形一定比隨機出現的機率大很多，基於這個假設，吾人可以由大量的語料庫觀察或計算連續的詞彙組合一起出現的頻率，然後根據統計值判定這種一起出現的現象是否是出於隨機，如果不是，可以相信它們是複合詞或是詞組。這種作法以 Smadja 於 1990 年提出的 N-Gram 的研究方法最著名（註 20），國內的學者專家也曾採用類似的方法建構複合詞辭典。（註 21）

至於實際採用語料庫爲本的跨語資訊檢索系統有 Dumais 於 1997 年提出以跨語隱含語意索引（Cross-Language Latent Semantic Indexing，簡稱 CL-LSI）的策略建構跨語資訊檢索系統（註 22），Oard 則是於 1996 年提出建構於詞彙對列的跨語資訊檢索系統。（註 23）前者提出的系統有一個非常特別的優勢，亦即使用 LSI 的單語檢索系統與使用 CL-LSI 的跨語檢索系統，兩者的系統績效相差無幾。而後者的跨語系統仍然比單語系統差（大約降低 50%），Oard 計畫未來使用涵蓋面比較廣的雙語辭典配合語料庫改進跨語檢索的求準率與求全率。

前述所提語料庫爲本的策略都需要大量的相互對譯的雙語語料庫，亦即所謂的「平行對列語料庫」（Parallel Aligned Corpus），然而事實上大量的不行對列語料庫並不多，爲了解決這個問題，有些學者專家提出以「比較對列語料庫」（Comparable Aligned Corpus）替代平行對列語料庫。所謂的比較對列語料庫，指的是雙語語料並非相互對譯，僅僅是類似的雙語語料，或許是討論相同的主題，或許是屬於同一類型的語料。事實上，吾人可將比較對列語料庫視爲是由兩個性質相似的單語語料庫構成，因而能夠比較容易蒐集大量的語料，從而取得所需的雙語知識。Sheridan 與 Ballerini 於 1996 年使用比較對列語料庫建構索引典，然後利用索引典做爲詞彙轉換的依據，實驗結果顯示跨語資訊檢索的平均求準率比之單語資訊檢索降低 54%。（註 24）

第六節　結論

試圖跨越語言障礙的研究並非始於資訊檢索，發其軔者應爲機器翻譯。機器翻譯的研究幾乎與電腦的發明同時展開，其目的不外乎希望能夠聯繫兩種不同的語言，超越無形的語言與文化的藩籬。早期資訊檢索的研究一直侷限在同一種語言文字的範疇內，因此只需要考慮查詢問句與圖書資料內容如何匹配的問題。但是，網際網路的無遠弗屆卻將這個範疇擴大爲全球，跨越語言的資訊檢索很自然地成爲不可或缺的資訊服務。

檢視目前的跨語資訊檢索系統，多數使用索引典爲本、辭典爲本以及語料庫爲本的技術，本章亦詳細討論這三種技術的發展現況，表 7-1 摘錄不同策略的跨語資訊檢索系統其系統績效的降低幅度。

吾人可以發現其系統績效普遍比單語資訊檢索系統降低 50-60%，顯示跨語資訊檢索還有發展的空間。正因爲如此，有識之士認爲知識的來源不僅一種，完成一項工作的方法也不只一個，每一種知識來源或是每一個方法都有其優勢與弱點，因而最新的發展趨勢是結合各種技術，研發混合式的跨語資訊檢索系統。

筆者認爲隨著時間的遞移，資訊交流的方式與資訊科技的結合只會更加地緊密，以全球爲範疇的資訊流動會更加地頻繁，超越語言藩籬的資訊需求會越來越緊迫，跨語資訊檢索的服務將會是解決這項需求的一個重要關鍵技術。

表 7-1：跨語資訊檢索系統之系統績效

技術分類	系統設計者	相較單語檢索系統績效的降低幅度
辭典爲本	Hull and Grefenstette (1996): Select All	51.0%
	Davis (1996): Select All	49.1%
	Davis (1996): Select N Best	32.8%
索引典爲本	Salton (1970)	相近（註 25）
語料庫爲本	Oard (1996): Word-Aligned	50%

註釋

註1：　圖書一詞的來源可以追溯到「河圖洛書」，傳統的圖書泛指所有提供資訊的載體，包括所謂的紙本資料、非書資料等等。在這個意義之下，資訊與資訊載體是合而爲一的，因爲載體僅能使用一次。然而，在廣泛使用電腦科技的環境中，資訊的載體可以重複使用，此時的資訊成爲獨立的個體，不再依存於資訊的載體，因而，筆者在本章使用「圖書資料」或「圖書」一詞時，實際指的是資訊本身，而不論資訊載體的形式。

註2：　Salton於1970年就曾經做過類似的研究。而這幾年的資訊檢索研究很明顯展示了這個趨勢，例如1997年美國人工智慧學會（The American Association for Artificial Intelligent，簡稱AAAI）舉辦了AAAI Spring Symposium on Cross-Language Text and Speech Retrieval；而由計算機學會舉辦的資訊檢索領域的重要會議SIGIR有關跨語資訊檢索的論文也越來越多；至於評

鑑資訊檢索系統的會議（Text Retrieval Conference，簡稱TREC）也於1996年開辦跨語資訊檢索系統的評鑑工作。

註3： 一個研究領域的形成通常經過時間的醞釀，跨語資訊檢索的研究歷經同樣的過程。由於研究者會為這樣的研究設定一個專有名詞作為討論的依據，而且不同的地區可能會訂定不同的專有名詞，對於跨語資訊檢索的研究而言，ACM SIGIR96 Workshop on Cross-Linguistic Information Retrieval訂定的術語為"Cross-Language Information"，而Defense Advanced Research Project Agency(簡稱DARPA)則為"Translingual Information Retrieval"。本章採用的術語是"Cross-Language Information Retrieval"（CLIR），中文為「跨語資訊檢索」。

註4： 為了便於討論的進行，本章在討論到多種語言時，使用的詞彙是「雙語」（Bilingual）而不是「多語」（Multilingual），然而並不代表僅限於兩種語言的情形，而且稱使用者使用的語言為S語言，另一語言則稱為T語言；若很明顯地討論跨越兩種以上語言的處理現象時，則使用「跨語」（Cross-Language），例如，在說明資訊檢索系統使用「跨語資訊檢索系統」，以反應使用者可以經由這一類的資訊檢索系統，查檢不同語言的文獻資料。因而，吾人可以說「雙語」指的是靜態地描述物件（Object）的現象；而「跨語」則是動態地說明如何處理或連結兩種以上不同語言的物件，可能是使用者下達的查詢問句（Query），也可能是資訊系統內收藏的文獻資料（Document-like Object）。

註5： 陳光華，「語彙知識之擷取與混合式機器翻譯系統之研究」（博士論文，國立台灣大學資訊工程學研究所，民國85年）。

註6： 參考文獻請見Guo-Wei Bian and Hsin-Hsi Chen, "An MT Meta-

Server for Information Retrieval on WWW," in Proceedings of AAAI-97 Spring Symposium Series on Natural Language Processing for the World Wide Web, (1997): 10-16.線上輔助翻譯服務請連線URL:http://nlg3.csie.ntu.edu.tw/mtir.html。

註7： Larry Fitzpatrick and Mei Dent, "Automatic Feedback Using Past Queries: Social Searching?" in Proceedings of the 20th Annual International ACM SIGIR Conference on Research and Development in Information Retrieval, (1996): 306-313.

註8： 本圖引用台灣大學資訊工程學系陳信希教授於民國86年6月2日發表的演講稿。陳信希。「跨語資訊檢索」。電子辭典、機器翻譯與資訊擷取研討會，（民國86年6月2日）。

註9： 本章不探討因語言編碼不同造成的檢索藩籬。如中文資料就有BIG5碼、CCCII碼、EUC碼、GB碼等等。

註10： David A. Hull and Gregory Grefenstette, "Experiments in Multilingual Information Retrieval," in Proceedings of the 19th Annual International ACM SIGIR Conference on Research and Development in Information Retrieval, (1996).

註11： Mark Davis, "New Experiments in Cross-Language Text Retrieval at NMSU's Computing Research Lab.," The Fifth Text Retrieval Conference (TREC-5), (1996).

註12： Lisa Balleseros and W. Bruce Croft, "Dictionary Methods for Cross-Lingual Information Retrieval," In Proceedings of the 7th International DEXA Conference on Database and Expert Systems, (1996): 791-801.

註13： 同註12。

註14： Lisa Ballesteros and W. Bruce Croft, “Phrasal Translation and Query Expansion Techniques for Cross-Language Information

Retrieval," in Proceedings of AAAI Spring Symposium on Cross-Language Text and Speech Retrieval, March 1997, <URL:http://www.ee.umd.edu/medlab/ filter/sss/ papers> (1 June, 1997).

註15： 訊息理解會議每年針對不同的主題評估參與比賽的系統，以1997年爲例，設定三種比賽項目，分別是專有名詞的辨識、照應詞的解析、以及腳本樣版資訊的擷取。

註16： Carol Peters, "Across Languages, Across Cultures," D-Lib Magazine, May 1997, URL:http://www.dlib.org/dlib/may97/peters/05peters.htm> (29 May, 1997).

註17： Julio Gilarranz, Julio Gonzalo and Felisa Verdejo, "An Approach to Conceptual Text Retrieval Using the eurowordNet Multilingual Semantic Database," in Proceedings of AAAI-97 Spring Symposium Series on Cross-Language Text and Speech Retrieval, (1997): 51-57.

註18： Gerard Salton, "Automatic Processing of Foreign Language Documents," Journal of the American Society for Information Science, 21 (1970): 187-194.

註19： Kenneth Church and P. Hanks, "Word Association Norms, Mutual Information, and Lexicography," Computational Linguistics, 16:1 (1990): 22-29.

註20： Frank Smadja and Kathleen mckeown, "Automatically Extracting and Representing Collocations for Language Generation," in Proceedings of the 28th Annual Meeting of the Association for Computational Linguistics, (1990): 252-259.

註21： 中央研究院資訊科學研究所以及台灣大學資訊工程學研究所自然語言處理實驗室都有類似的研究。

註22： S.T. Dumais et al., "Automatic Cross-Language Retrieval Using Latent Semantic Indexing," Proceedings of AAAI-97 Spring Symposium Series on Cross-Language Text and Speech Retrieval, (1997): 18-24.

註23： Douglas Oard, "Adaptive Vector Space Text Filtering for Monolingual and Cross-Language Applications" (Ph.D. Diss., University of Maryland, College Park, 1996).

註24： P. Sheridan and J.P. Ballerini, "Experiments in Multilingual Information Retrieval Using the SPIDER System," in Proceedings of the 19th ACM SIGIR Conference, (1996): 58-65.

註25： 前提是必須仔細小心地製作索引典。

第八章　結論

對於身處世紀末的人類而言，內心其實是相當矛盾的，面對未來，是既期待，又擔心它的不確定性。回顧本世紀資訊流通管道的變化，讓人類享用了前所未見的資訊服務所帶來的各項便捷。然顯而易見的是，未來科學技術的進展不會變慢，只會越來越快，威力更趨強大的電腦及各種資訊系統，將會帶來更新、更多樣化、且更便利的服務。但是資訊的生產與資訊的消費仍將是吾人所關注的主要課題，本章將由資訊生產與消費的角度，檢視說明本書所探討的各項文件自動處理技術，並由研究人員的角度，提出對此領域未來的展望。

第一節　資訊的生產與消費

若是將資訊看成一樣產品，吾人就可以由資訊生產與資訊消費此二種角度，看待資訊處理的過程。資訊的生產當然是爲了服務使用者，因此，生產的資訊若沒有進入消費體系，則資訊存在的價值便將遭受質疑。如何有效地生產資訊，並且有效地讓使用者消費資訊，一直是研究資訊處理者所必須考量的重要議題。

資訊的生產可以用圖 8-1 表示。當資料透過初級生產者的創作轉化爲資訊的過程，可視爲資訊初級生產過程，這時的初級生產者或許是人，或許是機器。例如，文學作品的創作者、學術論文的作者、處理統計資料的電腦等。另一方面，加值者亦可視爲是另一種形式的生產者，能夠針對其上一級資訊進行某種程度的生產動作，生產原有資訊所沒有的資訊，例如，詮釋資料的著錄，可能加上原有資訊涵蓋的時空範疇（Spatial and Temporal Coverage）。這些加值處理，代表著各級生產者對於資訊所投注的不同程度的貢獻，而所謂的加值處理可能包括：資訊的組織（詮釋資料格式的制定、詮釋資料的著錄）、資訊主題內容之辨識、資訊主題之辨識、資訊的索引與摘要與資訊的剖析等。

從資訊消費的角度觀察資訊處理的過程，除了必須注意資訊消費者的特性，還必須研究如何使資訊消費的過程更爲順暢，資訊的消費可以用圖 8-2 表示。從資訊消費的角度出發，必須進行使用者查詢分析（User's Query Analysis）、使用者研究（User Study），使用者回饋分析（User's Feedback Analysis），人機介面設計（Human-Machine Interface Design）等課題之研究。使用者查詢的分析，可以進一步地克服傳統關鍵詞檢索的缺點，更確定使用者的資訊需求；使用者的研究，則可以瞭解使用者的行爲模式；使用者的回饋分析，則可以藉由互動過程，釐清使用者的資訊需求；人機介面的設計，則可以讓使用者更便利地享用資訊服務。前述種種的加值處理，對於資訊消費的貢獻，無疑是具有舉足輕重的角色。

然而，本書明顯地將重點放在資訊生產的層面，第二章說明資訊擷取與詮釋資料格式的相關性；第三章說明詮釋資料作爲資訊檢索的重要依據；第四章探討文件主題的辨識；第五章，說明文件進一步分析的必要性，同時發展一套統計式的部分剖析程序；第六章則由原生性服務、加值性服務，到訊息性服務等方面，探討不同層次的網際網路服務，並說明文件摘要爲訊息性資訊服務的一環；第七章則討論資訊檢索的藩籬，強調語言文化的議題將是未來重要的研究目標。至於資訊消費的層面，本書僅僅觸及使用者查詢分析，說明如何運用自然語言處理的技術，分析使用者下達的查詢問句，以進行更高層次的資訊服務，但是對於使用者研究、使用者回饋分析、或是人機介面的設計則未加探討。實因筆者認爲多數的學者、專家以及研究人員皆有其專長之處，不可能涵蓋所有的議題，因此本書的不足之處，尚待前輩先進另文指正補充。

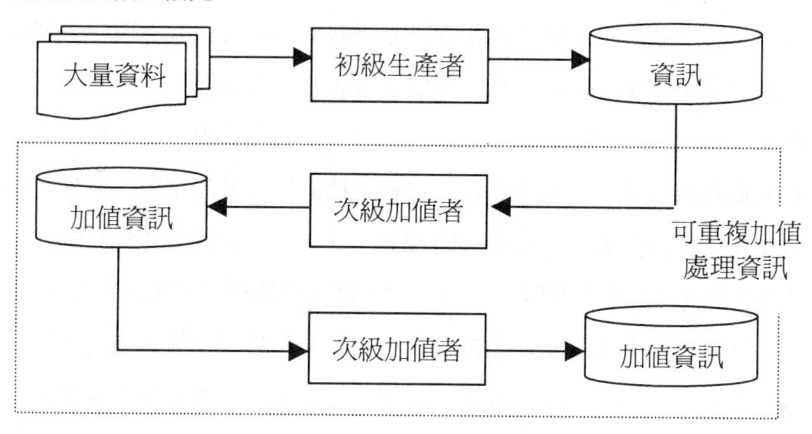

圖 8-1：資訊生產之加值處理

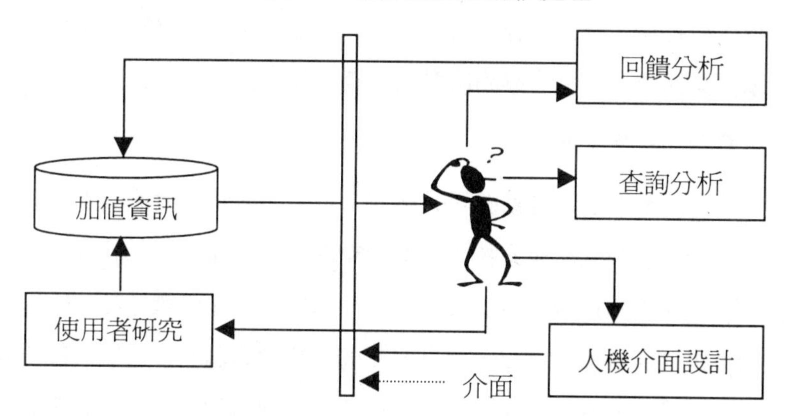

圖 8-2：資訊消費之加值處理

第二節　未來的展望

網際網路普遍化的時代，造成電子資訊大量累積的現象，對於人類而言，有好處亦有壞處。吾人可以輕易地由網際網路取得資訊，亦可以自由地發表個人言論；然而，吾人卻也面臨資訊爆炸的窘況，甚而產生資訊焦慮的情形。爲了讓吾人享用網路帶來的便利，但卻消除令人困擾的問題，則應用半自動或全自動的程序，或許是目前比較有效的作法。觀諸目前網際網路資訊取用的情形，可以發現搜尋引擎與主題指引仍然是主要的工具。然而以資訊檢索與自然語言處理研究的發展進程而言，這類的技術係屬較低的文件處理技術，若想提升網際網路服務的層次，則引進更好、更新的技術是必然的趨勢。例如，搜尋引擎僅能以關鍵詞進行全文的搜尋，若是使用者想要找尋有關「泰森擊倒桀弗瑞」的相關文件，比較好的搜尋引擎會送回包含「泰森」、「桀弗瑞」、「擊倒」等詞彙的文件，比較差的搜尋引擎則僅會送回包含「泰森」、「桀弗瑞」的文件，而且很難檢索出「泰森擊倒桀弗瑞」的相關文件。若是應用自然語言剖析的技術，如第六章發展的統計式部分剖析程序，確定查詢問句的主語、受語、述語，便能夠區別「泰森擊倒桀弗瑞」以及「桀弗瑞擊倒泰森」此二種不同的文件，而滿足使用者真正的檢索需求。

本書從電子文件自動處理的角度，說明如何藉由機器與人力的合作，超越一般的全文檢索技術，進行文件之加值處理，如詮釋資料、資訊組織、資訊擷取、資訊摘要、文件剖析、主題辨識等等，使之更容易爲人們所組織、儲存、共享、交換、檢索與擷取。對於一般的資訊系統設計者而言，往往必須考量目前的軟硬體的限制，例如，若是在全球資訊網提供資訊摘要服務，所耗費的冗長時間成本，可能是終端使用者所無法忍受的；但是對於一位從事資訊處理的研究人員而言，往往未曾受此限制，因為我們相信未來電腦軟硬體與網路技術仍將會突飛猛進，而促使我們有更多的空間，從事以往所無法實現的各項應用研究。本書提出的各種電子資訊處理的技術，僅僅是現階段筆者的研究成果，然而，未來世界的發展將更為變化多端，目前的研究成果，將是進一步研究發展的基礎。對於未來的使用者而言，其資訊的需求將更趨多樣化與精緻化，有效地提升資訊處理研究的層次，擴展從事資訊處理的研究人口，將是提昇資訊服務、滿足使用者未來資訊需求的重要基礎工作。這些，亦將是身處資訊社會的每一份子，所應努力的方向與目標。

參考文獻

一、中文部分：

大眾書局編輯部。名家語錄（高雄市：大眾書局，民國 61 年）。

中央研究院詞庫小組。中央研究院平衡語料庫的內容與說明，技術報告 95-02。

中國圖書館學會。中國編目規則（台北市：圖書館學會，民國 84 年）。

孔安國。尚書孔傳（台北市：新興書局，民國 66 年）。

台灣大學。電子圖書館與博物館--文獻與藏品數位化計畫，民國 86 年。<URL: http://ntudlm.csie.ntu.edu.tw/>

何光國。圖書資訊組織原理（台北市：三民書局，民國 79 年）。

胡述兆、吳祖善合著。圖書館學導論（台北市：漢美，民國 78 年）。

國立中央圖書館。中文圖書標題表，台北市：國立中央圖書館，民國 82 年 4 月。

國立中央圖書館主編。臺閩地區圖書館統計名錄（台北市：國立中央圖書館，民國 82 年）。

國立編譯館主編。圖書館學與資訊科學大辭典（台北市：漢美，民國 84 年）。

國家圖書館。中國機讀編目格式，台北市：國家圖書館，民國 86 年 6 月。

陳光華。「資訊的組織與擷取」，臺灣大學圖書館學刊第十二期（民國 86 年 12 月），頁 127-141。

陳光華。「電子文獻主題之自動辨識」，中國圖書館學會會報第 59 期（民國 86 年 12 月），頁 43-58。

陳光華。「語彙知識之擷取與混合式機器翻譯系統之研究」（博士論文，國立台灣大學資訊工程學研究所，民國85年）。

陳信希。「跨語資訊檢索」。電子辭典、機器翻譯與資訊擷取研討會，（民國86年6月2日）。

陳雪華。圖書館與網路資源，台北市：文華圖書，民國 85 年。

曾元顯。「多媒體資訊檢索技術之探討」，21 世紀資訊科學與技術的展望國際學術研討會論文集，世界新聞傳播學院圖書資訊學系及國家圖書館主辦，民國 85 年 11 月 7-9 日，頁 281-298。

詞庫小組。中央研究院漢語平衡語料庫的內容與說明，技術報告 95-02，（台北市：中央研究院資訊科學研究所，民國 84 年）。

蕃薯藤。「蕃薯藤第二次台灣網際網路使用調查」，<URL: http://taiwan.yam.org.tw/survey/survey97/>。

蘇諼。「自動摘要法」，中國圖書館學會會報第 56 期（民國 85 年 6 月），頁 41-47。

二、英文部分：

Agirre, E; Arregi, X; Artola, X; Diaz de Ilarraza, A. and Sarasola, K. "Lexical Knowledge Representation in an Intelligent Dictionary Help System," Proceedings of the 15th International Conference for Computational Linguistics (COLING-94), 1994, pp. 544-550.

Alexandria Digital Library, 1996, <URL: http://www.alexandria.ucsb.edu/> (13 Nov. 1998).

Alta Vista. <URL: http://altavista.digital.com/> (16 Mar. 1999).

Appelt, D. and Israel, D. Tutorial on Building Information Extraction Systems

(Washington, DC, 1997).

Balleseros, Lisa and Croft, W. Bruce. "Dictionary Methods for Cross-Lingual Information Retrieval," Proceedings of the 7th International DEXA Conference on Database and Expert Systems, 1996, pp. 791-801.

Ballesteros, Lisa and Croft, W. Bruce. "Phrasal Translation and Query Expansion Techniques for Cross-Language Information Retrieval," Proceedings of AAAI Spring Symposium on Cross-Language Text and Speech Retrieval, March 1997, <URL: http://www.ee.umd.edu/medlab/ filter/sss/papers> (1 June, 1997).

Belkin, Nicholas J. Tutorial for Information Retrieval: Information Retrieval as Interaction, 1994.

Bian, Guo-Wei and Chen, Hsin-His. "An MT Meta-Server for Information Retrieval on WWW," Proceedings of AAAI-97 Spring Symposium Series on Natural Language Processing for the World Wide Web, 1997, pp. 10-16.

Black, E. et al. "A Procedure for Quantitatively Comparing the Syntactic Coverage of English Grammars," Proceedings of the Workshop on Speech and Natural Language, 1991, pp. 306-311.

Blum, Thom et al. "Audio Databases with Content-Based Retrieval," in Intelligent Multimedia Information Retrieval, ed. Mark Maybury (Menlo Park: AAAI Press, 1997), p. 119.

Borko, H. "Information Science: What Is It?" American Documentation 19:1 (Jan 1968), pp. 3-5.

Brill, E. "A Simple Rule-Based Part of Speech Tagger," Proceedings of the Third Conference on Applied Natural Language Processing, Trento, Italy, 1992, pp. 152-155.

Brill, E. And Marcus, M. "Automatically Acquiring Phrase Structure Using Distributional Analysis," Proceedings of the DARPA Conference on Speech and Natural Language, 1992, pp. 155-159.

Chang, J.S. et al. "A Corpus-Based Statistical Approach to Automatic Book Indexing," Proceedings of the Third Conference on Applied Natural Language

Processing, ACL, 1992, pp. 147-151.

Chang, S.F. "Content-Based Indexing and Retrieval of Visual Information," IEEE Signal Processing Magazine 14:4 (July 1997), pp. 45-48.

Chen, H.H. and Bian, G.W. "Proper Name Extraction from Web Pages for Finding People in Internet," Proceedings of ROCLING X International Conference, 1997, pp. 143-158.

Chen, H.H. and Lee, J.C. "Identification and Classification of Proper Nouns in Chinese Texts," Proceedings of the 15th International Conference on Computational Linguistics (COLING96), 1996, pp. 222-229.

Chen, H.H. and Lee, Y.S. "Development of a Partially Bracketed Corpus with Part-of-Speech Information Only," Proceedings of the Third Workshop on Very Large Corpora, 1995, pp. 162-172.

Chen, K.H. "Topic Identification in Discourse," Proceedings of the 7th Conference of the European Chapter of ACL, 1995, pp. 267-271.

Chen, K.H. and Chen, H.H. "A Probabilistic Chunker," Proceedings of the 6th ROCLING, 1993, pp.99-117.

Chen, K.H. and Chen, H.H. "A Rule-Based and MT-Oriented Approach to Prepositional Phrases Attachment," Proceedings of the 16th International Conference for Computational Linguistics (COLING-96), 1996, pp. 166-171.

Chen, K.H. and Chen, H.H. "Aligning Bilingual Corpus: Especially for Language Pairs from Different Families," Information Science: An International Journal, 4(1995), pp. 57-81.

Chen, K.H. and Chen, H.H. "Extracting Noun Phrases for Large-Scale Text Corpora: A Hybrid Approach and Its Automatic Evaluation," Proceedings of the 34th Annual Meeting of Association for Computational Linguistics (ACL-94), 1994, pp. 234-241.

Chen, K.H. Bilingual Constraints in Lexical Selection, unpublished report, 1994.

Chen, K.J. and Liu, S.H. "Word Identification for Mandarin Chinese Sentences," Proceedings of the 15th International Conference on Computational Linguistics, pp. 101-107.

Chiang, T.H. et al. "Statistical Models for Word Segmentation and Unknown Word Resolution," Proceedings of R.O.C. Computational Linguistics Conference V (ROCLING V), 1992, pp.121-146

Church, K. "A Stochastic Parts Program and Noun Phrase Parser for Unrestricted Text," Proceedings of the Second Conference on Applied Natural Language Processing, Austin, Texas, 1988, pp. 136-143.

Church, K.W. and Hanks, P. "Words Association Norms, Mutual Information, and Lexicography," Computational Linguistics, 16(1), 1990, pp. 22-29.

CliniWeb, 1995, <URL: http://www. ohsu.edu/cliniweb/> (13 Nov. 1998).

Conference on Digital Libraries: Post-Conference Workshops, 1997, <URL: http://www.sis.pitt.edu/~diglib97/Workshops.htm> (13 Nov. 1998).

Consortium for the Interchange of Museum Information (CIMI), <URL: http://www.cimi.org/> (16 Mar. 1999).

Cutting, D., Kupiec, J., Pedersen, J and Sibun, P. "A Practical Part-of-Speech Tagger," Proceedings of the Third Conference on Applied Natural Language Processing, Trento, Italy, 1992, pp. 133-140.

CyberDewey, 1995, <URL: http://www.lm.com/~mundie/CyberDewey /CyberDewey.html> (13 Nov. 1998).

CyberStacks(sm), 1996, <URL: http://www.public.iastate.edu /~CYBERSTACKS/OCLC.htm> (13 Nov. 1998).

Davis, Mark. "New Experiments in Cross-Language Text Retrieval at NMSU's Computing Research Lab.," The Fifth Text Retrieval Conference (TREC-5), 1996.

Dublin Core Metadata Initiative, 1998, <URL: http://purl.oclc.org/dc/> (13 Nov. 1998).

Dumais, S.T. et al. "Automatic Cross-Language Retrieval Using Latent Semantic Indexing," Proceedings of AAAI-97 Spring Symposium Series on Cross-Language Text and Speech Retrieval, 1997, pp.18-24.

Edmundson, H.P. "New Methods in Automatic Extracting," Journal of Association for Computing Machinery, 16.2 (1968), pp. 264-285.

Elmasri, R. and Navathe, S. Fundamentals of Database Systems (CA: The Benjamin/ Cummings Publishing company, Inc., 1994), 249.

Faloutsos, Christos et al. "Efficient and Effective Querying by Image Content," Journal of Intelligent Information Systems, 3 (July 1994), pp. 231-262.

FGDC. "Content Standards for Digital Geospatial Metadata -- FGDC." 1994, <URL: http://fgdc.er.usgs.gov/> (13 Nov. 1998).

First IEEE Metadata Conference, 1996, <URL: http://www.llnl.gov/liv_comp /metadata/events/ieee-md.4-96.html> (13 Nov. 1998).

Fitzpatrick, Larry and Dent, Mei. "Automatic Feedback Using Past Queries: Social Searching?" Proceedings of the 20th Annual International ACM SIGIR Conference on Research and Development in Information Retrieval, 1996, pp. 306-313.

Francis, N. And Kucera, H. Manual of Information to Accompany a Standard Sample of Present-day Edited American English, for Use with Digital Computers, Department of Linguistics, Brown University, Providence, R. I., U.S.A., original ed. 1964, revised 1971, revised and augmented 1979.

Garside, R. and Leech, F. "A Probabilistic Parser," Proceedings of Second Conference of the European Chapter of the ACL, 1985, pp. 166-170.

Gauch, Susan, Li, Wei and Gauch, John. "The VISION Digital Video Library," Information Processing & Management 33:4 (April 1997).

Gilarranz, Julio, Gonzalo, Julio and Verdejo, Felisa. "An Approach to Conceptual Text Retrieval Using the EurowordNet Multilingual Semantic Database," Proceedings of AAAI-97 Spring Symposium Series on Cross-Language Text and Speech Retrieval, 1997, pp. 51-57.

GILS. "Guidelines for the Preparation of GILS Entries." 1995, <URL: http:// gopher.nara.gov:70/0/managers/gils/guidance /gilsdoc.txt> (18 Nov. 1998)

Grosz, B. and C. Sidner. "Attention, Intentions, and the Structure of Discourse,"

Computational Linguistics 12.3 (1986), pp. 175-204.

Hearst, M. And Plaunt, C. "Subtopic Structuring for Full-Length Document Access," Proceedings of the 6th International ACM SIGIR Conference on Research and Development on Informaiton Retrieval, 1993, pp. 59-68.

Hindle, D. "User Manual for Fidditch, A Deterministic Parser," Naval Research Laboratory Technical Memorandum 7590-142, Naval Research Laboratory, Washington, D.C., 1983.

Hodge, Gail. Automated Support to Indexing. Philadelphia: The National Federation of Abstracting and Information Services, 1992.

Hull, David A. and Grefenstette, Gregory. "Experiments in Multilingual Information Retrieval," Proceedings of the 19th Annual International ACM SIGIR Conference on Research and Development in Information Retrieval, 1996.

Ide, E. "New Experiments in Relevance Feedback," The SMART System -- Experiments in Automatic Document Processing. Ed. G. Salton. New Jersey: Prentice-Hall Inc., 1971, pp. 337-354.

Informedia, 1996, <URL: http://www.informedia.cs.cmu.edu/> (13 Nov. 1998).

INFORMINE, 1994, <URL: http://lib-www.ucr.edu/> (13 Nov. 1998).

Jelinek, F. Markov. "Source Modeling of Text Generation." Ed. J.K. Skwirzynski. The Impact of Processing Techniques on Communication, Nijhoff, Dordrecht, The Netherlands, 1985.

Johansson, S. The Tagged LOB Corpus: Users' Manual, Bergen: Norwegian Computing Centre for the Humanities, 1986.

Jordan, P.W. "Using Terminological Knowledge Representation Languages to Manage Linguistic Resources," cmp-lg/9605024 <URL:http://xxx.lanl.gov/>, 1996.

Kamp, H. "A Theory of Turth and Semanitc Representation," Formal Methods in the Study of Language. Eds. J. Groenendijk, T. Janssen, and M. Stokhof. Vol. 1. Mathematische Centrum, 1981.

Library of Congress subject headings. 20th ed. Library of Congress, Cataloging

Distribution Services, 1997.

Light, M. And Schubert, L. “Knowledge Representation for Lexical Semantics: Is Standard First Order Logic Enough?” cmp-lg/9412004 <URL: http://xxx.lanl.gov/>, 1994.

Matsumoto, Y.; Ishimoto, H. And Utsuro, T. “Structural Matching of Parallel Texts,” Proceedings of the 31st Annual Meeting of ACL, Ohio, USA, June 22-June 26, 1993, pp. 23-30.

McKinnon, Emma Jean, and Anne Reid, Carolyn. MeSH for Searchers. Chicago: Medical Library Association, 1992.

Message Understanding Conference, 1994, <URL: http://www.tipster.org/muc.htm> (13 Nov. 1998).

Oard, Douglas, “Adaptive Vector Space Text Filtering for Monolingual and Cross-Language Applications,” (Ph.D. Diss., University of Maryland, College Park, 1996).

Peters, Carol. “Across Languages, Across Cultures,” D-Lib Magazine, May 1997, URL: http://www.dlib.org/dlib/may97/peters/ 05peters.htm> (29 May, 1997).

Piatetsky-Shapiro, G. and Frawley, W.J. editors. Knowledge Discovery in Databases. Cambridge, MA: MIT Press, 1991.

Post-Conference Workshops, <URL: http://www.sis.pitt.edu/~diglib97/Workshops. htm>

Reynar, J. “An Automatic Method of Finding Topic Boundaries,” Proceedings of the 32nd Annual Meeting of ACL, 1994, 331-333.

Rocchio, J.J., Jr. “Relevance Feedback in Information Retrieval,” The SMART System -- Experiments in Automatic Document Processing. Ed. G. Salton. New Jersey: Prentice-Hall Inc., 1971, pp. 313-323.

Salton, G. “A Theory of Indexing,” Proceedings of Regional Conference Series in Applied Mathematics, No. 18, Society for Industrial and Applied Mathematics, Philadelphia, PA, 1975.

Salton, G. and Yang, C.S. “On the Specification of Term Values in Automatic

Indexing," Journal of Documentation 29.4 (1973), pp. 351-372.

Salton, G. Automatic Text Processing (New York: Addison Wesley, 1989), pp. 313-373.

Salton, G., Yang, C.S. and Yu, C.T. "A Theory of Term Importance in Automatic Text Analysis," Journal of the ASIS 26.1 (1975), pp. 33-44.

Salton, Gerard. "Automatic Processing of Foreign Language Documents," Journal of the American Society for Information Science, 21 (1970), pp. 187-194.

Sampson, G., English for the Computer, Oxford University Press, 1995.

Shannon, C.E. and Weaver, W. The Mathematical Theory of Communication, University of Illinois Press, Urbana, IL, 1949.

Sheridan, P. and Ballerini, J.P. "Experiments in Multilingual Information Retrieval Using the SPIDER System," Proceedings of the 19th ACM SIGIR Conference, 1996, pp. 58-65.

Smadja, Frank and McKeown, Kathleen. "Automatically Extracting and Representing Collocations for Language Generation," Proceedings of the 28th Annual Meeting of the Association for Computational Linguistics, 1990, pp. 252-259.

Sparck Jones, K. "A Statistical Interpretation of Term Specificity and Its Application in Retrieval," Journal of Documentation 28.1 (1972), pp. 11-21.

Tapanainen, P. and Voutilainen, A. "Tagging Accurately – Don't Guess If You Know," Proceedings of the 4th Conference on Applied Natural Language Processing, 1994, pp. 47-52.

Weibel, S., J. Godby, and E. Miller. "OCLC/NCSA Metadata Workshop Report." 1995, <URL: http://gopher.sil.org/sgml/metadat.html> (13 Mar. 1997).

Wilks, Y. And Stevenson, M. "Sense Tagging: Semantic Tagging with a Lexicon," cmp-lg/9705016, 1997.

Witten, I.H., Moffat, A. and Bell, T. "Compression and Full-Text Indexing for Digital Libraries," Digital Libraries: Current Issues. Eds. N.R. Adam, B.K. Bhargava and Y. Yesha. Berlin: Srpinger-Verlag, 1995, pp. 181-201

Yahoo, 1994, <URL: http://www.yahoo.com/> (13 Nov. 1998).

Youmans, G. "A New Tool for Discourse Analysis: The Vocabulary-Management Profile," Language 67 (1991), pp. 763-789.

索引

一、英文索引

二、中文索引

七劃

八劃

九劃

十劃

國家圖書館出版品預行編目資料

電子文件自動處理之研究

陳光華著.—初版.— 臺北市：臺灣學生，1999(民 88)
面；公分

ISBN 957-15—0942—6 (精裝)
ISBN 957-15—0943—4 (平裝)

1. 資訊儲存與檢索系統

2. 電子資料處理

028 88004037

電子文件自動處理之研究（全一冊）

著作者：陳光華
出版者：臺灣學生書局
發行人：孫善治
發行所：臺灣學生書局
臺北市和平東路一段一九八號
郵政劃撥帳號00024668號
電話：(02)23634156
傳真：(02)23636334
本書局登記證字號：行政院新聞局局版北市業字第玖捌壹號
印刷所：宏輝彩色印刷公司
中和市永和路三六三巷四二號
電話：(02)22268853

定價：精裝新臺幣二二〇元
平裝新臺幣一五〇元

西元一九九九年三月初版

02801

ISBN 957-15-0942-6 (精裝)
ISBN 957-15-0943-4 (平裝)

臺灣 學生書局 出版

新圖書館學叢書

❶ 資訊檢索　黃慕萱著
❷ 非書資料處理—圖書館多媒體資料的管理與經營　朱則剛著
❸ 機讀編目格式在都柏林核心集的應用探討　吳政叡著
❹ 電子文件自動處理之研究　陳光華著